JN017421

今さら聞けない!

# 国際社会のキホンが2時間で全部頭に入る

プロ個別指導教室SS-1 社会科講師
中学受験情報局「かしこい塾の使い方」主任相談員
馬屋原吉博

すばる舎

# はじめに

## ごあいさつ

本書を手にとってくださったすべての方にお礼申し上げます。

こんにちは、著者の馬屋原吉博と申します。

受験サポート業界におりまして、大学受験・高校受験指導をへて、中学受験指導の世界に入り、早くも20年が経とうとしています。

中学受験をするのは小学生ですから、そのままでは難しい社会の話を、いかに「わかりやすく」、しかし「うそにならないように」語るかに心を砕く日々を送っています。

そんな私の授業を、お子さんの横で保護者の方が楽しく聞いてくださることも多いことから、『今さら聞けない！』シリーズの執筆を担当する機会を頂戴しました。とくにシリーズ１作目の『政治のキホン』は発売から５年以上経つ現在でも多くの方が読んでくださっており、大変ありがたく思っております。日々の授業で鍛えた力を使い、入門書の執筆というかたちで社会のお役に立てることを嬉しく思います。

さて、シリーズ５作目となる本書のテーマは「国際社会」です。

国家や企業、NGOといったプレイヤーが複雑にからみ合う国際社会が、どのようなルールのもとで動いているのかといった話から、世界各地の紛争や難民、環境などに関わる各種問題に至るまで、簡単にではありますがまとめています。

下記、各章の内容についてご紹介します。

前から順番に読み進めたほうがわかりやすいように設計していますが、前提知識をお持ちの方は、興味があるところから自由にお読みください。

## 各章の内容

### PART1　国際社会のキホン

世界のニュースにふれるとき、最低限、知っておくと理解が深まると思われる知識をまとめました。
「共和制」と「君主制」の違いといった国家のあり方や、「同盟」や「協定」といった国家と国家の関係についての話から始め、国家レベルの金融（お金の貸し借り）がどのように行われているかなどについても扱っています。

後半では、新型コロナウィルスとの戦いや宇宙開発、生成AIなど、昨今のニュースで頻繁に見かける話題にふれました。

### PART2　貿易と物流のキホン

食料などの重要な物資を、他国からの輸入に頼りすぎることにはリスクが伴います。しかし、すべてのものを自国で生産するより、それぞれの国が生産しやすいものを作って、お互いに融通したほうが国際社会全体では効率がよいのもたしかです。

PART2では「貿易」に焦点を当て、石油や天然ガスなどの資源や、半導体や自動車といった工業製品、米や小麦といった食料など、国家間を行き来する主要な物資の特徴についてまとめました。

FTAやEPA、WTOやTPPなど、貿易関連のニュースでよく目にするキーワードについても解説しています。

### PART3　安全保障と環境のキホン

国際社会においては、多数の国家で協力しなければ解決できない問題が存在します。この章では、その筆頭とされる「安全保障（軍事）」と「環境」というテーマについて掘り下げました。

前半では、安全保障のための枠組みとして機能する「同盟」や「国際連合」について解説しました。後半では、主に「気候変動（地球温暖化)」問題に、国際社会がどのように取り組んでいるのかについて書きました。砂漠化やごみ問題といった各種環境問題については、各章のコラムでも積極的にふれています。

**PART4　ヨーロッパのキホン**
**PART5　中東・アフリカのキホン**
**PART6　南北アメリカのキホン**
**PART7　アジア・オセアニアのキホン**

PART4以降では、世界各地の「今」について、主に紛争や領土問題、難民、政権の変化などに注目しながらつづりました。
「今」は「過去」の延長線上にしかありませんから、できるだけここ数十年の歴史にもふれるようにしました。当シリーズ『世界史のキホン』の、「続き」のようなイメージでも読んでいただけます。

各章、できる限り最新の話題にふれるよう努めました。ただ、状況が変化していくスピードが著しく加速している現代の世界において、「最新」の話題はどうしても書いたそばから古くなっていきます。
また、紙面の都合や私のアンテナにより、ふれられていない話題や地域も山ほどあります。
本書が、人類社会が続く限り、私たちの前に無限に流れてくるニュースの理解を深めるための一助となれば幸いです。

2024年６月

馬屋原吉博

# CONTENTS



## PART1 国際社会のキホン

PART2
貿易と物流のキホン

# PART3 安全保障と環境のキホン

# PART4 ヨーロッパのキホン

PART5
中東・アフリカのキホン

# PART6
## 南北アメリカのキホン

# PART7 アジア・オセアニアのキホン

ブックデザイン・イラスト：小林祐司

# PART 1

# 国際社会のキホン

人口や言語、宗教など、
前提となる知識をまとめました。
国家と国家の関係や国際金融のあり方、
感染症との戦いや宇宙開発、IT企業といった、
国際ニュースをにぎわす話題にもふれています。

# 世界で国(国家)として認められるための3要素

## 「主権」「領土」「国民」を揃えた国は現在約200存在している

### 領土・領海・領空

国家の3要素

- ▶ 領域:領土、領海、領空
- ▶ 国民:永続的に生活を営む人々
- ▶ 主権:国の政治を最終的に決める権利、他国から干渉されない権利

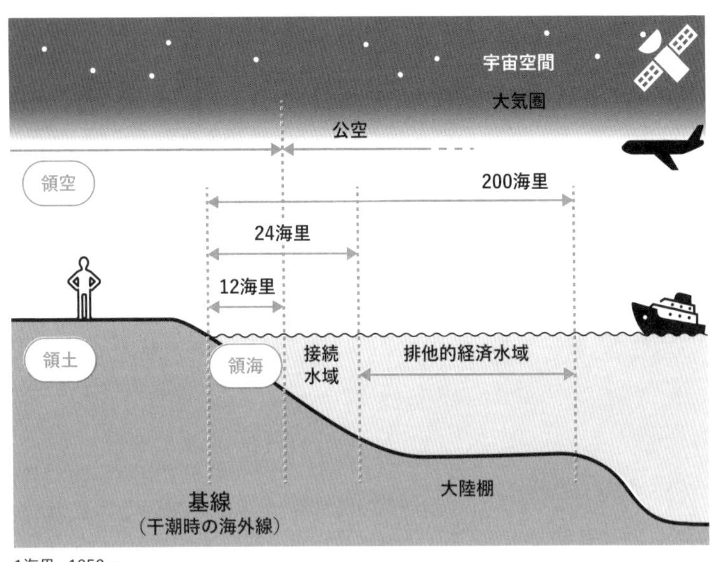


1海里=1852m

## 国際社会は「国」を単位として動く

グローバル化が進んだのは事実としても、「国（国家）」単位で動くことがまだまだ多いのが、国際社会の実情です。

現在、世界には**約200の国**が存在します。もう少し具体的に見ると、まず国際連合に正式に加盟している国が193、日本が国として承認している国が日本を含めて196あります。

それとは別に台湾やパレスチナなど、実際には独立していながら、多くの国に国として承認されていない地域が10前後存在します。

なお、南極大陸は領土問題が「凍結」されている状態です。

## 「領土」には「領海」と「領空」も含まれる

一般的に、国が国として成立するためには、**「主権」「領土」「国民」**の３要素が必要とされています。

このうち「主権」は**「国民と領土を統治する能力」**を指す言葉です。たとえば、1951年のサンフランシスコ平和条約の締結で、日本は主権を「回復」しました。これは、1945年以降、戦争に負けてGHQの占領下に置かれていた日本が、「国民と領土を統治する能力（＝主権）」を失っていたことを前提とした表現です。

「領土」には、一般的に「領海」と「領空」が含まれます。領海は沿岸から12海里（約22km）の海域です。ちなみに、沿岸から200海里（約370km）の海域を「排他的経済水域（EEZ）」と呼び、**国が水産資源や地下資源を独占できる範囲**とされています。その外側は「公海」とされ、どの国にも属しません。

領空は領土と領海の上空を指します。領空と宇宙の境目に統一された基準はありませんが、海抜高度100km付近が目安となることが多いようです。それより上の宇宙空間は、どの国にも属しません。

# 国と訳す英単語も様々、統治形態による違いも

## 君主を置かない「共和制」の国では大統領が元首を務めることが多い

### 主な君主制の国

立憲君主制の国:「王は君臨すれども統治せず」

- イギリス
- オランダ
- スペイン
- スウェーデン
- デンマーク
- ベルギー
- タイ など

※日本が立憲君主制かどうかについては諸説ある

絶対君主制の国:「実際に君主が統治する」

- サウジアラビア
- オマーン
- カタール など

## 「country」「nation」「state」の違い

英語のニュースなどを見聞きしていると、日本語で「国」と訳される英語がいくつか存在することに気づきます。

「田舎」や「故郷」といった意味でも使われる**「country」**は、「土地」に注目した表現です。そのため、国土を持たない民族が、自らの共同体を指して「our country」と表現することは通常ないようです。

**「nation」**は「国民」や「共同体」に注目した表現です。歴史や文化、言語などが共通であると感じる人びとの集合体としての国です。

**「state」**という表現もあります。こちらは「政府」や「行政機能」に注目した表現です。アメリカは強い自治権を持つ50の「state（州）」の連合体です。ただ、どの州の人も「自分はアメリカ人である」という意識を持っており、ひとつの「nation」としてまとまっています。

「nation」と「state」が一致する国を**「nation-state（国民国家）」**と呼びます。18世紀以降、世界各地でこの国民国家を作ろうという動きが進みました。国民国家に属さない人びとにとっては、その獲得が悲願であることも少なくありません。反対に、グローバル化が進む世界において、国際社会を国民国家単位でとらえるままでいいのかと考える人もいます。

## 共和制は君主を置かない

世界の国々は、政体によって**「共和制」**の国と**「君主制」**の国に分けられます。共和制の国は君主を置かず、多くの場合、国民から選ばれた大統領などが「元首」と呼ばれる国民の代表を務めます。

一方、「君主制」をとる国でも、多数派を占めるのは、国王が元首を務めながら、政治は国民から選ばれた議会が中心となって進める「立憲君主制」をとる国です。わずかな例外として、国王が政治権力を握るサウジアラビアのような国も存在します。

# 「人種」「民族」「国民」それぞれの違いは？

## 差別を引き起こしてきた人種の概念は科学的にも否定されつつある

### 世界の主な民族

▶ヨーロッパの主な民族

ゲルマン系……イギリス・ドイツなど
ラテン系……フランス・スペインなど
スラブ系……ロシア・ウクライナなど
その他……ウラル系、クルド系など

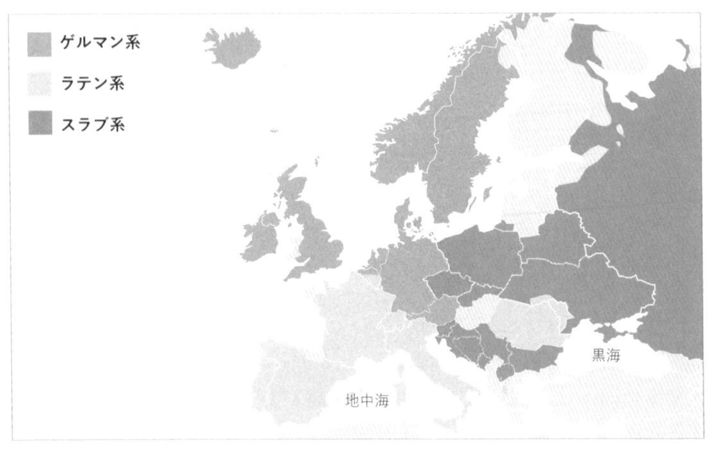


▶中東の主な民族

アラブ系……サウジアラビア・イラク・エジプトなど
イラン系……イランなど
トルコ系……トルコなど
その他……クルド系やユダヤ系など

## 国民＝「自分は○○国民」という意識を共有する集団

これまで人類は、いくつかの基準で自らを分類してきました。そのうちのひとつが**「人種（race）」**です。人種は多くの場合、肌や目の色や髪質などに代表される身体特徴での分類を指します。

ただ、DNAの研究が進み、人種間の遺伝的な違いは小さいことが明らかになったことや、人種の概念が数々の差別を引き起こしてきた歴史への反省などを踏まえ、現代ではそこまで重視される概念ではなくなってきています。

**「民族（ethnic group）」**は、言語や宗教、慣習といった文化の違いによる分類です。人間が集団を作る際、やはり「話が通じるかどうか」が及ぼす影響は大きく、民族の違いは言語の違いによって生み出されることが多いようです。しかし、同じ言語を話していても民族は異なるというケースもありますし、その逆もあります。

これに対して**「国民（nation）」**は、18世紀頃のヨーロッパから形作られていった「自分は○○国民である」という意識を共有する集団を指します。

## その国の多数派ではない民族の存在

20世紀になると「民族」が、それぞれ自らの「国民国家（nation-state）」を作ろうという「民族自決」の動きが加速しました。

しかし、すべての民族が自分たちの国家を手に入れられたわけではないため、今でも多くの「その国において多数派ではない民族」が、分離・独立を求める運動を続けています。また、アメリカやインドのような「多民族国家」も少なくありません。

なお一般的には、「自分は○○国民である」というアイデンティティを持つ人が一定数存在することが、国家の３要素のひとつである「国民」を満たす条件となるようです。

# 世界の言語、話者数は中国語と英語が上位に

## 世界人口1位のインドのヒンディー語、植民地支配で広がったスペイン語も

言語別人口ランキング（母語）

|  |  |
| --- | --- |
| 1位 | 中国語 |
| 2位 | 英語 |
| 3位 | ヒンディー語（主にインド） |
| 4位 | スペイン語 |
| 5位 | アラビア語（西アジア、アフリカ） |
| 6位 | ベンガル語（主にバングラデシュ） |
| 7位 | ポルトガル語 |
| 8位 | ロシア語 |
| 9位 | パンジャーブ語（主にインド、パキスタン） |
| 10位 | 日本語 |



言語別人口順位は母語や第一言語などで変動する。第二・第三言語まで含むと英語の話者が最多となる

出典：WorldData.info（2024年2月）

## 母語と第一言語は必ずしも一致しない

現在、世界には約7000から8000の言語が存在すると考えられています。一般的に、子どもが生まれて最初に学ぶ言語を**「母語（mother tongue）」**と呼び、その人がもっとも得意とする言語を「第一言語（first language）」と呼びます。

母語と第一言語は必ずしも一致しません。母語も長いこと使わないと忘れていきますし、両親の言語が異なるなどの事情で複数の母語を持つ人もいます。

現在、第一言語としている人がもっとも多いのは中国語です。ただ、一口に中国語と言っても多数の方言があり、なかにはコミュニケーションが難しいレベルの方言の違いもあるようです。そのため、中国政府は「普通話」と呼ばれる標準語の普及に努めています。

## 日本語人口は多いが、国内に限られる

スペイン語話者も多いです。かつての植民地支配を通じて、人口増加率の高い中南米に話者を獲得しています。同じ理屈で、ブラジルの公用語であるポルトガル語も、第一言語とする人が多い言語です。

アメリカでは、**「ヒスパニック」**と呼ばれるスペイン語を話す中南米出身者やその子孫の人口が、アフリカ系の人びとの人口を上回っています。

日本語は、通じる地域は日本国内に限られますが、それでも世界では第一言語とする人の多い言語に入ります。ただ、日本語話者のみで一定の市場が形成されるという事実が、反対に英語習得の壁となり、国際社会で不利に働いているという指摘がなされることもあります。

現在、ユネスコは話者が減少している約2500の言語を「消滅危機言語」に指定しています。ユネスコは言語と方言を区別しない方針をとっており、アイヌ語や沖縄語などもこのなかに含まれています。

# 30%がキリスト教徒で、25%がイスラーム教徒

## インドの宗教・ヒンドゥー教の信者は10億人、仏教徒を超える

世界の宗教別人口ランキング

イスラーム教徒は中東やアフリカに多いが、
インドネシアも人口の9割がイスラーム教徒

## 仏教人口は7%ほど

言語と同じく、宗教も正確な統計をとるのが難しい分野です。現在、**世界人口の約３割がキリスト教徒**だと考えられています。キリスト教には数多くの宗派・教派がありますが、大きくは３つ、ローマ・カトリックとプロテスタント、そして正教会に分けられます。

キリスト教徒に次いで多いのが、ムスリムとも呼ばれる**イスラーム教徒で、世界人口の約４分の１**を占めます。ムスリムは大きくスンニ派とシーア派に分けられます。ムスリム全体としては少数派のシーア派ですが、イランやイラク、アゼルバイジャン、バーレーンなど、シーア派人口がスンニ派人口を上回る国もあります。

仏教徒の人口は世界人口の約７％前後と見られています。大きく大乗仏教と上座部仏教に分けられ、日本の仏教のほとんどは大乗仏教に属します。

## ユダヤ教や日本の神道などの民俗宗教も

上記の３つの宗教は、宗派・教派による例外はあるとはいえ、発展の過程で人種や民族を超えて広がる性格を手に入れたため、一般的に**「世界宗教」**と呼ばれています。

地域の宗教としてもっとも規模が大きいと考えられているのが、**インドの民族宗教・ヒンドゥー教**で、信徒の数は仏教徒よりも多く、10億人を超えます。ユダヤ人のユダヤ教や日本の神道も、民族宗教に分類される宗教です。

中国のように、特定の信仰を持たない人が半数以上を占める国もありますが、世界的には８割以上の人がなんらかの信仰を抱いています。今もなお、宗教は多くの人びとの心の支えになっており、同時に、紛争や差別の一因ともなっています。

# 世界人口は80億突破、平均寿命は73歳前後

## 2023年、少子高齢化が進む中国に代わってインドが世界人口1位に

国別人口ランキング（2023年）

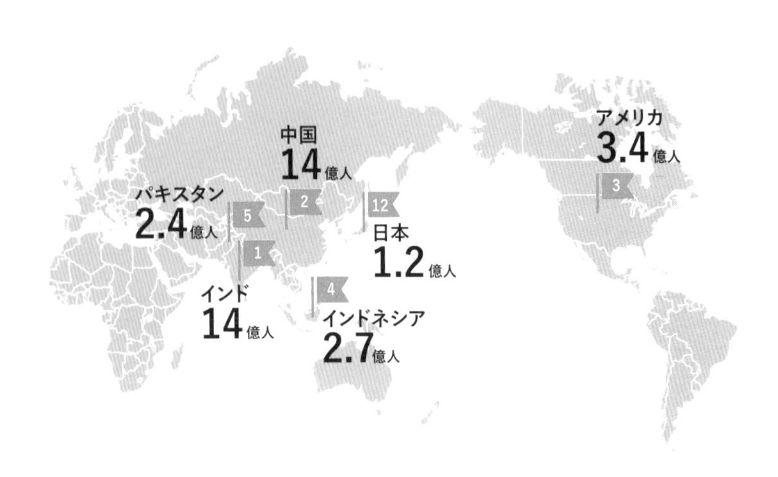


パキスタンとナイジェリアの人口増加が著しく、
2023年現在、5位と6位につけている。
2019年まで10位だった日本は、
メキシコとエチオピアに抜かれ現在12位

## 今世紀末に104億人のピークを迎える予想

現在、地球上にはどれだけの人が暮らしているのでしょうか。

国連が発表する『世界人口白書 2024』によると、**世界人口は81億人を超えた**とのことです。19世紀初頭、10億人程度だった世界人口は、この200年間で8倍にまで膨れ上がりました。

そのうち、**約59%がアジア**に、次いで約17%がアフリカに分布しています。また、約84%が開発途上国で生活を営んでいます。

同報告書は、2050年に世界人口は97億人を超え、今世紀末に約104億人に達した後、減少に転じる可能性があると伝えています。

2023年時点の国別人口ランキングは、**インドと中国が14億人前後**で突き抜けて多く、それに3億人台のアメリカ、そして2億人台のインドネシア、パキスタンが続きます。

中国は2015年に「一人っ子政策」を廃止したものの、急速な少子高齢化が進んでおり、2023年、人口1位の座をインドに譲りました。

## 出生率の低下と平均寿命の伸び

1人の女性が一生の間に出産する子どもの数の平均に、ほぼ一致する**「合計特殊出生率」**という指標があります。人口を維持するためには、これが**約2.1を超えている必要**があります。

世界では1990年に約3.2だったこの数値が、2019年には約2.5と大幅に減少しました。ちなみに、2023年の日本の合計特殊出生率は1.20まで下がっており、危機的な状況と見られています。

出生率が低下するなか、世界の平均寿命は1990年に64.2歳だったのが2019年には72.6歳となっており、大幅な伸びを見せています。

アジアやアフリカでは今しばらく人口増加が続く見通しですが、世界はゆるやかに高齢化に向かっているようです。

# 人口ピラミッドに見る経済力や将来の発展性

## 発展するにつれて「富士山型」から「つぼ型」へ移行していく

### 代表的な人口ピラミッド（日本）

**1930年**（富士山型）

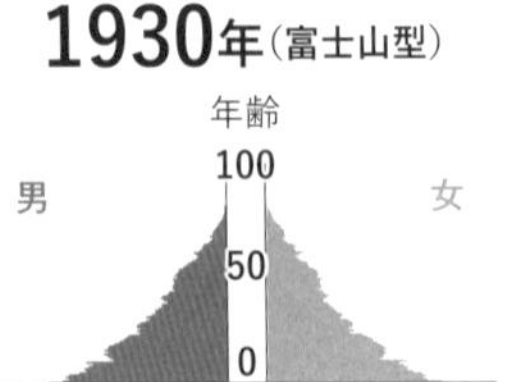


**1965年**（釣鐘型）

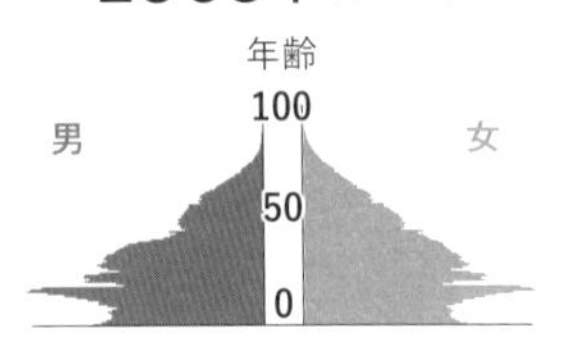


**2020年**（つぼ型）

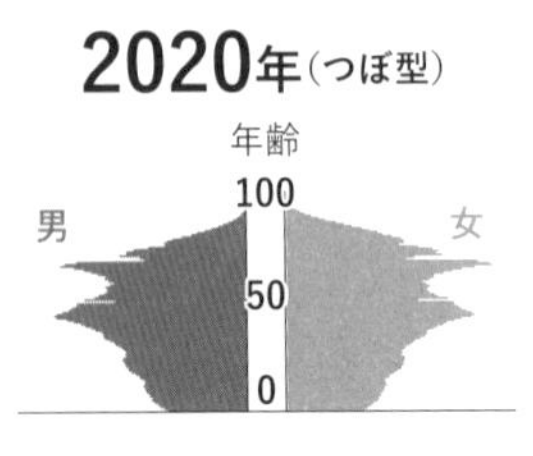


**2050年**（推定）

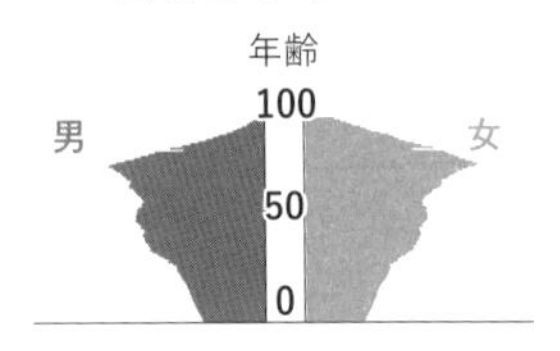


### 特徴的な人口ピラミッド

**東京都**（2022年）

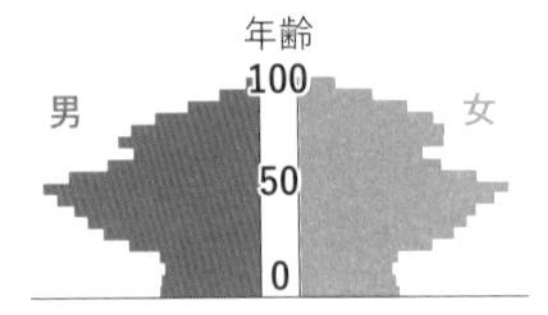


**UAE**（2020年）

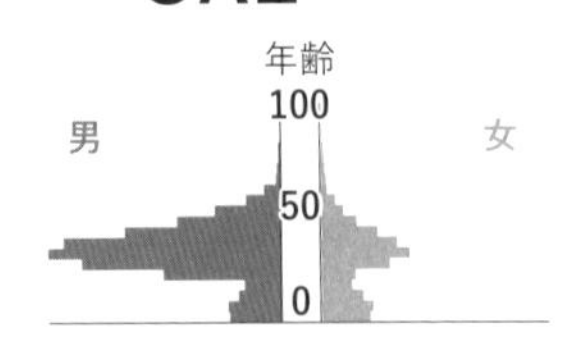

## 生産年齢人口が多い「富士山型」

年齢ごとに男女別の人口を表したグラフを**「人口ピラミッド」**と呼びます。各地の経済力や医療レベル、将来の発展度合いなど、様々な要素が反映されやすいグラフです。

1930年の日本のような三角形に近いものを「ピラミッド型」や「富士山型」と呼びます。現在、似た形を見せているのはパキスタンやナイジェリアで、15歳以上65歳未満の「生産年齢人口」が多く、経済成長しやすい**「人口ボーナス」**と呼ばれる状態です。

医療や経済が発達し、労働力として多くの子どもを産み育てる必要性が小さくなると、人口ピラミッドは「釣鐘型」に移行していきます。1965年の日本や、現在ではインドやアルゼンチン、メキシコ、ブラジルといった国がこの形をしています。

## 先進国はどこも「つぼ型」のピラミッドに

さらに**少子高齢化**が進むと、若年人口のほうが少ない「つぼ型」に移行します。日本やドイツ、イタリアなど、現在の先進国の多くがこの状態になっています。なお、2050年の日本の人口ピラミッドは、左のような形になると推測されています。高齢者を支える若年層の負担が今以上に大きくなっているかたちです。

ちなみに、地域によってはもっと特徴的な形を示します。たとえば、現在の東京は、20代のところで人口が一気に増えます。これは、20代前半で東京に引っ越してくる人が多いことを示します。

この傾向がさらに極端になると、アラブ首長国連邦（UAE）のようなグラフになります。**男性の外国人労働者**が大量に入国していることがわかります。

ドバイを中心とするUAEの繁栄は、約９割が外国人で約７割が男性という、かたよった人口構成の上に成り立っています。

# 国際慣習法と条約で構成される「国際法」

## 国連主導で慣習法の明文化が進むも、強制力が弱いという課題は残る

多国間条約の例

国連は560以上の多国間条約を保管している

## 「国際慣習法」と「条約」

国際社会を成り立たせるルールと聞くと、「国際法」という言葉が思い浮かぶ方も少なくないでしょう。「国際法」とは一般的に「**国際慣習法**」と「**条約**」の２つから成る、と説明されます。

「国際慣習法」は、その名の通り、伝統的に多くの国々の間で暗黙の了解として守られてきた慣習です。

ひとつの例として**「公海自由の原則」**が挙げられます。「いずれの国の船も、公海は航海・通商・漁業等のために自由に使用できる」という原則です。

ただ、明文化されていないルールはやはり不安定です。そのため、国際連合を中心に**慣習法の明文化**が進められており、先の「公海自由の原則」も、現在では**「国連海洋法条約」**という条約において具体的に規定されています。

この条約は、2024年の時点で168の国とEUが批准しており、まさに「国際法」といえる存在です。

## 条約に加盟しないという選択

裁判所や警察といった、「法を守らせる力」が整備されている国内法と比べると、国際法は強制力という面で劣ります。また、守りたくない条約は批准しないという選択もあります。

たとえば、現在190を超える国が加盟している「核兵器の不拡散に関する条約（核不拡散条約／NPT）」という条約があります。

これは、国連安保理の**常任理事国以外の国の核兵器保有を禁じる**条約ですが、核兵器保有国であるインドやパキスタンは最初からこの条約に加盟していません。北朝鮮は当初加盟していましたが、後に脱退し、核開発を進めました。

2021年に発効した「核兵器禁止条約」には、すべての核兵器保有国が参加を見送っています（p.109）。

# 国と国は同盟や協定を結んで連携する

## 同盟や協定には多数の国が参加するものもある、地域統合の動きもさかん

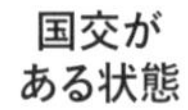


国交がある状態

軍事的な結びつき（同盟関係）

経済的な結びつき

## 日本が同盟を結んでいるのはアメリカのみ

国と国がお互いのことを主権国家として認めている状態を「国交がある」と表現します。この場合、互いに相手国に大使館を置き、相手国にいる自国民をサポートするのが一般的です。

国と国は、単に「国交がある」以上に強い結びつきを持つ場合もあります。そのうちのひとつが**「軍事同盟」**です。安全保障、すなわち軍事面で強い結びつきを持つ同盟関係は、「北大西洋条約機構（NATO）」（p.110）を筆頭に、国際社会に複数存在します。

日本が同盟を結んでいるのはアメリカのみです。1951年に締結された**「日米安全保障条約」**に基づく同盟です。また、正式な同盟とはされていませんが、2007年の「日豪共同宣言」において、オーストラリアとも安全保障面で協力を進める関係となっています。

## 欧州やアフリカ、東南アジアなど地域ごとの枠組みも

**国境を越えた地域統合**の動きもさかんです。
「欧州連合（EU）」や「アフリカ連合（AU）」、「東南アジア諸国連合（ASEAN）」といった地域機構は、経済のみならず、政治や安全保障、教育など、広い範囲での統合を目指して活動しています。
「アジア太平洋経済協力（APEC）」といった経済協力に特化した枠組みもあります。

また、もう少し細やかに、特定の国と国とが貿易をしやすくするために結ぶ**「自由貿易協定（FTA）」**や**「経済連携協定（EPA）」**といった協定も存在しています。

2018年に発効した「環太平洋パートナーシップ協定（CPTPP）」や、2022年に発効した「地域的な包括的経済連携協定（RCEP）」は、日本を含む多国間EPAの一種です。p.100で詳しく扱います。

# 戦後、ソ連・韓国・中国と順に国交を正常化

## 日本は北朝鮮や台湾などを除く196の国を国家として承認している

### 国連未加盟だが日本が承認している国

バチカン

ローマ市内、カトリックの総本山。人口約600人

コソボ共和国

旧ユーゴスラビア内の州。2008年に独立宣言

クック諸島・ニウエ

どちらも南太平洋の島。ニュージーランド領だったが、自治権を獲得

台湾とは正式な国交がないが…

民間での交流がさかん。日本人の人気の海外旅行先

## 第二次世界大戦で多くの国との国交を失う

日本は第二次世界大戦において、「連合国」と呼ばれる多くの国々との国交を失いました。そして、1951年に開かれた連合国と日本の講和会議で**「サンフランシスコ平和条約」**が締結されたことで、日本は48の国と国交を正常化することができました。

このとき、ソ連は会議に参加していたにもかかわらず条約に調印せず、中華人民共和国と国民党政府（台湾）、北朝鮮と韓国はそもそも会議に参加していなかったため、これらの近隣諸国との国交正常化が当時の日本の外交課題として残りました。

## 1956年のソ連との国交回復が国連加盟につながる

ソ連との国交回復は、1956年に鳩山一郎内閣がソ連とともに発表した**「日ソ共同宣言」**によって実現しました。国連安保理の常任理事国であるソ連との国交回復には、日本の国際連合加盟という非常に大きな「おまけ」がついてきました。

韓国との国交は、佐藤栄作内閣における1965年の**「日韓基本条約」**で正常化しました。この条約には、日本が韓国政府を「朝鮮にある唯一の合法的な政府」と認めると記載されており、日本は現在も北朝鮮を国家として承認していません。北朝鮮には現地の日本人を保護する日本の大使館がないため、日本の国際空港などでは「北朝鮮への渡航はお控えください」といった類のアナウンスがされています。

中華人民共和国との国交は、1972年、田中角栄内閣による**「日中共同声明」**によって正常化されました。この条約には「台湾が中華人民共和国の領土の不可分の一部である」と記載されていることもあり、日本は台湾を国家として承認していません。ただ、日台関係は民間団体によって支えられており、旅行などもしやすい状態です。

日本は現在、日本を含めた196の国を主権国家として承認し、国交を有しています。

# 重要な2つの経済指標 GDPとGNI

## GNI（国民総所得）は海外での稼ぎも含む、グローバル化の時代にあわせて

### 国の経済力指標の移り変わり

▶ GDP：国内総生産（Gross Domestic Product）

ある国の国内で生産された
モノやサービスの付加価値。
その国の人が
国外で生産した
付加価値は含まれない

▶ GNI：国民総所得（Gross National Income）

その国に住んでいる人が
国内外から得た
所得の合計。
国内の外国籍の人の
稼ぎは含まれない

国の経済力をはかる指標は
実態や状況によって変化していく

## かつて使われた「国民総生産（GNP）」

国と国との経済力の違いや、一国の過去と現在の経済力の違いを計測したいときに使われる「ものさし」は、時代によって移り変わっていきます。

かつては**「国民総生産（GNP）」**が一般的に用いられていました。

GNPは「ある国民によって新しく生産された付加価値の総計」で、ここでいう「国民」とは「ある国の国籍を持つ人」ではなく、「ある国に居住している人」を指します。

つまり、日本のGNPには、日本に存在する人や会社が、海外で生み出した富も含まれていました。

しかし、グローバル化が進み、海外での稼ぎが増えてくると、はたしてGNPは、その国の経済力や景気を表す指標としてふさわしいのだろうか、という疑問が持たれるようになってきました。

## GDPには国内企業の海外支店の稼ぎは含まれない

そこで、1993年頃から広く使われ出したのが**「国内総生産（GDP）」**という指標です。GDPは「国内で産出された付加価値の総額」です。海外企業の日本支店の稼ぎが含まれるのに対して、国内企業の海外支店の稼ぎは含まれません。

そして、2000年頃から目にする機会の増えてきた指標が、**「国民総所得（GNI）」**です。GNIは、GDPに海外からの所得を加え、さらに貿易をするときの有利・不利の度合いを加味して算出されるもので、かつてのGNPに近い指標です。

GNIが用いられるようになった背景には、人口が減少に転じ、生産活動の拡大が難しくなってきている今後の日本においては、海外への投資などがもたらす所得こそが、経済力を測るものさしとしてふさわしいのではないか、という考えがあるようです。

# 「1人あたりのGDP」に見る各国の労働生産性

## 日本のGDPは世界上位だが、1人あたりのGDPは高いとは言えない

### GDPランキング

▶ GDPの高い国（名目・2023・IMF）

| 順位 | 国 | 順位 | 国 |
| --- | --- | --- | --- |
| 1 | アメリカ合衆国 | 6 | イギリス |
| 2 | 中国 | 7 | フランス |
| 3 | ドイツ | 8 | イタリア |
| 4 | 日本 | 9 | ブラジル |
| 5 | インド | 10 | カナダ |

▶ 1人あたりのGDPの高い国（名目・2023・IMF）

| 順位 | 国 | 順位 | 国 |
| --- | --- | --- | --- |
| 1 | ルクセンブルク | 6 | アメリカ合衆国 |
| 2 | アイルランド | 7 | アイスランド |
| 3 | スイス | 8 | カタール |
| 4 | ノルウェー | 9 | マカオ |
| 5 | シンガポール | 10 | デンマーク |

日本のGDPは長い間3位だったが、
2023年にドイツに抜かれ4位となった

## GDPの1位はアメリカ

世界のGDPランキング1位は、2位以下に大きな差をつけているアメリカ、そして2位は、これまた3位以下に大きな差をつけている中国です。

中国は2000年前後から「世界の工場」として急激な経済成長を遂げ、2010年に実質GDPで日本を抜いて世界第2位となりました。

3位はドイツ、4位は日本、そして、こちらも着実に経済が発展しているインドが、英仏をおさえて5位にランクインしています。

人口が中国を超えて世界1位になった**インドでは、冷蔵庫やエアコンなどの普及率が5割に達しておらず、今後の内需拡大が大いに期待**されています。

## 人口が少なく、利益率の高い産業が強い国

一方、GDPを人口で割った「1人あたりのGDP」ランキングでは、スイスやルクセンブルク、ノルウェーといった国が上位を占めます。

これらの国々の共通点は、ノルウェーの石油生産やルクセンブルクの金融業、スイスの製薬業といった、利益率が高い産業への依存度が高く、かつ人口が少ないことです。

アイルランドのように、**法人税率を下げて海外の企業を誘致している国も、1人あたりのGDPが高めに出る傾向**があります。

ちなみに、人口が1億人を超えている国で1人あたりのGDPがもっとも高いのはアメリカ、次が日本です。

1人あたりのGDPに近い指標に**「1人あたりの労働生産性」**があります。これはGDPを就業者数で割ったものですが、こちらについて日本は先進国のなかでかなり低い状態が続いています。

15歳以上65歳未満の「生産年齢人口」が減少の一途をたどる日本において、労働生産性の改善は急務と言えます。

# 国家間の融資を進める「国際金融機関」

## インフラ整備のための融資の有無が途上国の発展スピードを左右する

### 「金融」の種類

▶ 直接金融

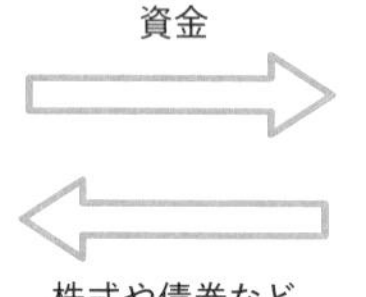

直接、お金を融通する

▶ 間接金融

貯金

利息

融資

利息

金融機関を通して融通する

## 「直接金融」と「間接金融」

お金を、余っているところから不足しているところへ融通することを「金融」と呼びます。金融には「直接金融」と「間接金融」の二種類があります。

「直接金融」は、企業が株式を発行するなどして直接お金を集めることです。近年では、インターネットを介して不特定多数の人から少額ずつ資金を調達する**「クラウドファンディング」**の普及により、個人でも直接金融で資金を集めやすくなりました。

一方、銀行などの金融機関を通じてお金を融通することを「間接金融」と呼びます。

金融の対象となるのは、個人や企業だけではありません。国家も対象となります。とくに途上国の場合、いかに早い段階で融資を受けて、鉄道や道路、インターネットといった**インフラを整備**できるかが、その後の発展のスピードを大きく左右します。

## 途上国が融資を受けにくい理由

経済力のある先進国は、国債を発行することによって直接金融を進めることできますが、途上国が発行した国債を買ってくれる人はなかなかいません。また、国家レベルのインフラへの投資は巨額になりがちで、かつ返済期間も長期化するため、銀行などもなかなかお金を貸してくれません。

そこで必要となるのが、開発を進めたい途上国や、経済が破綻しかかっている国にお金を貸してくれる**「国際金融機関」**です。

国際金融機関のなかでもっとも規模が大きいのは、「国際通貨基金(IMF)」と「世界銀行」です。ともに、第二次世界大戦中の1944年に、戦後の経済体制について話し合うために連合国の代表が集まった「ブレトン・ウッズ会議」をきっかけに生まれた機関です。

# 「IMF」と「世界銀行」、それぞれのミッション

## 収支が悪化した国に融資するIMF、主に途上国を支援する世界銀行

### IMFと世界銀行の違い

| | IMF<br>(International Monetary Fund) | 世界銀行<br>(World Bank) |
|---|---|---|
| 概要 | 国際通貨基金。国連の専門機関で独立したひとつの組織 | 国連の専門機関。ひとつの組織ではなく、世界銀行グループのうち、とくにIBRD(国際復興開発銀行)とIDA(国際開発協会)を指す |
| ミッション | ・国際通貨協力の強化<br>・貿易の拡大<br>・経済成長の促進<br>・繁栄を損なう政策の抑制 | ・貧しい国々の経済を強化し、極度の貧困を撲滅<br>・経済成長と開発を促進し、人々の生活水準を改善 |
| 主な活動 | ・経済収支が悪化した加盟国への融資<br>・加盟国の経済及び金融部門政策の監視(サーベイランス) | ・途上国やプロジェクトへの融資や各種支援 |
| 加盟国数<br>※2023年4月現在 | 190 | 189<br>(※IBRD加盟国) |
| 資金 | ・加盟国からの出資金 | ・加盟国からの出資金<br>・世界銀行債で独自に調達した資金 |

どちらも第二次世界大戦後に創設、かつての「西側諸国」の発言力が強い

## IMFは世界経済の安定がミッション

**国際通貨基金（IMF）**と世界銀行は、それぞれ設立された目的が異なります。IMFは加盟国からの出資等を財源として、対外的な支払いが困難になった加盟国にお金を貸し、その国が財政危機を克服するのを手伝う組織です。

手伝うといっても、財政再建のためにかなり厳しい緊縮を要求するため、お金を借りた国では、開発はもちろん、教育や健康などへの投資も止まりやすく、それが貧困や不平等を悪化させているのではないかという批判もあります。

IMFは、世界全体や各国の経済や金融の情勢をモニタリングし、必要に応じて助言を行うこともあります。国家の経済的な破綻を防ぎ、**世界経済を安定させる**のがIMFの主要なミッションです。

## 世界銀行は貧困削減、生活水準改善が目標

一方の**世界銀行**ですが、こちらはIMFのようなひとつの組織ではありません。「世界銀行グループ」を構成する５つの機関のうち、一般的に「IBRD（国際復興開発銀行）」と「IDA（国際開発協会）」の２つを「世界銀行」と呼んでいます。

世界銀行の目標は「貧しい国々の経済を強化することによって**世界の貧困を削減**し、かつ経済成長と開発を促進することによって**人びとの生活水準を改善**すること」です。近年では途上国だけでなく、NGOなどとともにプロジェクトを進めることもあるようです。

日本も、1953年以降、世界銀行から合計８億ドルを超える融資を受け、東海道新幹線や東名高速道路などのインフラを整備し、その後の高度経済成長への足がかりとしました。

IMFも世界銀行も、最大の出資国であるアメリカを筆頭に、**欧米諸国の発言権が強い組織**です。創立当初から「IMFの専務理事は欧州人、世界銀行の総裁はアメリカ人」となっており、経済大国・中国としては別の枠組みを構築したいところです。

# 特定の地域に特化した国際金融機関の存在

## 中国主導のアジアインフラ投資銀行、2015年に発足し、加盟国は100を超える

### 世界各地の国際金融機関

**欧州復興開発銀行(EBRD)**

1991年、ソ連崩壊に伴い、旧ソ連や東欧諸国の市場経済への移行、民間企業育成を支援する目的で設立。本部はロンドン

**アジアインフラ投資銀行(AIIB)**

2015年、ADBではまかないきれないアジア各国のインフラ整備の支援を主な目的として、中国主導で設立。本部は北京

**世界銀行グループ(WBG)**

1944年に設立された国際復興開発銀行を中心とする5つの機関からなる。本部はワシントン

**アフリカ開発銀行(AfDB)グループ**

1964年設立。本部はコートジボワールのアビジャン。アフリカの持続可能な経済成長と貧困削減の推進を使命とする

**アジア開発銀行(ADB)**

1966年設立。本部はマニラ。アジア太平洋地域の開発途上国の援助や貧困削減などを進める。歴代総裁は全員日本人

**米州開発銀行(IDB)グループ**

1959年、中南米・カリブ加盟諸国の経済・社会発展への貢献を目的として設立。本部はワシントン

## インフラ整備などのノウハウも提供

国際金融機関のなかには、中南米の国々を支援する「米州開発銀行(IDB)」や、アフリカの国々を支援する「アフリカ開発銀行(AfDB)」といった、特定の地域に特化したものも存在します。アジア・太平洋地域においては、1966年に設立された**「アジア開発銀行(ADB)」**が中心的役割を果たしています。

これらの組織が持つ、インフラ整備や社会政策に関する様々なノウハウは、融資とともに、援助を受ける国の大きな助けとなります。ADBは、パキスタンやバングラデシュなど、気候変動による災害に苦しむ地域の支援においても存在感を見せています。

## 中国の潤沢な資金に期待する国は多いが…

日米の発言権が強いADBに対し、中国の習近平国家主席によって提唱され、2015年に発足したのが**「アジアインフラ投資銀行(AIIB)」**です。中国の潤沢な資金に期待する国は多く、先進国間の基準に則った審査をへて融資を行うADBに対して、「より迅速な」対応を心がけるAIIBの加盟国・地域は、現在100前後まで増えています。

AIIBについては、ガバナンスや透明性に課題があるとして、アメリカや日本は加盟を見送っています。AIIB案件ではありませんが、2017年、中国資本からの融資を受けて建設されたスリランカの港の運営権が、財政悪化に陥ったスリランカから中国に移ったことがあり、こういった**「債務の罠」**を警戒する国々も存在するようです。

AIIBとADBは、途上国への融資や支援において主導権を争いながら、案件によっては**協調融資も実現**させている関係にあります。

中国と欧州を陸路と海路でつなぎ、巨大な経済圏を形成する「一帯一路」構想を進める中国と、その周辺諸国がどんな関係性を築いていくかがアジア全体の発展に与える影響は非常に大きいといえます。

# 途上国を支援する「政府開発援助」の今

## 日本のODA総額は米国とドイツに次ぐ第3位、近年ではインドへの支援が増加

主要国のODA供与額の推移

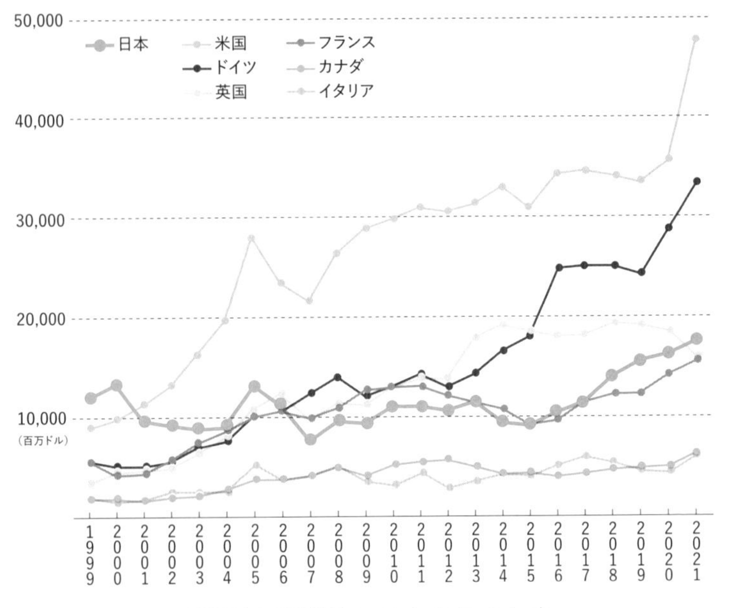


2023年、国際的にはウクライナやパレスチナを支援するODAが増えた

出典：2019年・2022年版開発協力白書（OECDデータベース）
（※2017年実績までは純額形式、2018年実績から贈与相当額計上方式）

## 返済前提の援助のほうが自助努力を引き出しやすい

開発途上国の経済開発や、福祉の向上に役立つことを主な目的とした公的資金を、**「政府開発援助（ODA）」**と呼びます。

ODAは、相手国を直接援助する「二国間援助」と、UNICEFなどの国際機関を通じて行われる援助の２つに分けられ、さらに二国間援助は資金協力と技術協力に分けられます。日本のODAは、主に外務省やJICA（ジャイカ：国際協力機構）によって進められています。

これまで日本が提供してきたODA総額の半分弱を、円借款と呼ばれる、**返済を前提とした資金援助**が占めています。返済を前提としたほうが相手国の自助努力を引き出しやすいことや、より持続可能で大型の援助を進めやすいことなどがその理由です。

日本自体にも戦後、アメリカから「ガリオア・エロア資金」と呼ばれる援助や、世界銀行による融資を受けて復興を進め、1990年までかけて利子とともに返済した経験があります。

## 東日本大震災で見た、ODA の成果

復興と返済を進めつつ、1954年頃から日本はODAを提供する側になりました。最初の相手国はビルマ（現ミャンマー）、フィリピン、インドネシア、ベトナムで、それらの国々に対する戦後処理と並行して進められました。初期のODAは実質的に、**アジアの国々へ賠償**の側面を持っていたと言えます。

エネルギー資源や食料の多くを輸入に頼り、輸出産業もさかんな日本にとって、各国との友好関係は生命線に近く、ODAはその構築・維持のための有力な手段です。2011年の東日本大震災の後、合計で200を超える国や国際機関から緊急支援の申し出があったことを、ODAの成果のひとつと評価する声もありました。

# 結核・エイズ・マラリア、三大感染症の今

## エイズの死亡率は激減するも、結核とマラリアは多くの人命を奪い続ける

三大感染症 感染者の地域別割合

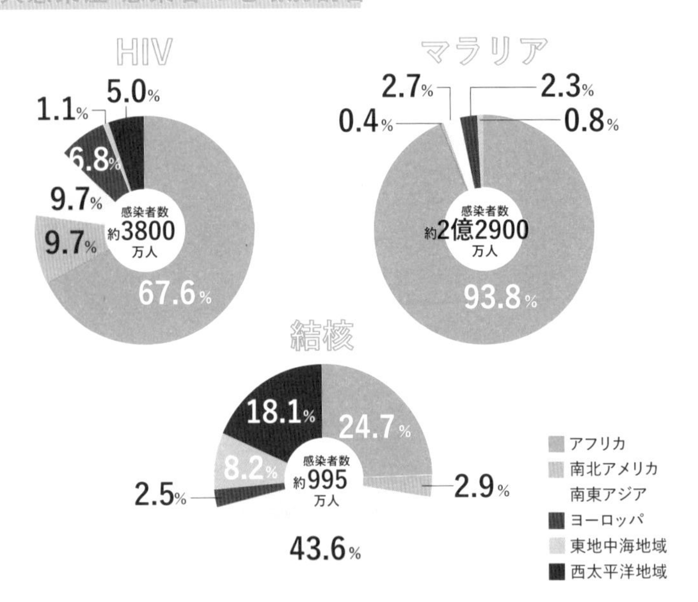


他に、フィラリア症やハンセン病など20前後の「顧みられない熱帯病(NTDs)」と呼ばれる感染症が、主に熱帯地域の貧困層を中心に人々の命を奪っている

出典:独立行政法人 国際協力機構(WHOデータ)

## 結核は世界で年間1000万人が感染

今もなお人類の命を奪い続けている感染症のうち、三大感染症とされているのが「結核」「HIV/AIDS（エイズ）」「マラリア」です。

**結核**菌は、空気感染する感染力の強い菌です。WHOによると、近年でも世界で年間1000万人近い人が新たに感染しているとのことです。世界人口の４分の１近くが罹患している計算になります。

日本ではBCGワクチンの徹底によって児童の感染率は低く抑えられていますが、それでも年間１万人前後の感染者が発生しており、高齢者を中心に毎年約2000人が命を落としています。

## エイズは治療薬の開発で死亡率減少

**HIV**（ヒト免疫不全ウイルス）に感染した後、特定の23種類の病気を発症すると**AIDS**（エイズ・後天性免疫不全症候群）と診断されます。1980年代から感染の報告が増え始め、2020年までに3000万人を超える人の命を奪ってきた感染症です。

1990年代後半から成果を上げ始めた**治療薬の開発**によって、比較的容易に発症を抑えることが可能となり、**死亡率は激減**しました。新規の感染者数も、ピークを迎えた1997年から2020年までの間に、約52%減少したとの報告があります（UNAIDS）。

## アフリカを中心に年間２億人がマラリアに感染

**マラリア**は、マラリア原虫を持った蚊（ハマダラカ属）に刺されることで感染する病気です。今もなお、熱帯・亜熱帯地域を中心に、年間で約２億人が感染し、40万人を超える死者を出しています。

2000年代に入ると、日本の企業が開発した防虫蚊帳（オリセットネット）の現地生産が進み、マラリアの拡大防止の一助となったようです。ただ、殺虫剤の開発と、それに耐性をつける蚊との戦いはいたちごっこで、まだまだ予断を許さない状況が続いています。

# 新型コロナとの戦いは今もなお続く

## 2020年にパンデミックと認定された新型感染症は約700万人の命を奪った

COVID-19による世界の死者数（多い順）

| 国名 | 死者数 | 感染者数 |
|---|---|---|
| アメリカ | 1,123,836 | 103,802,702 |
| ブラジル | 699,276 | 37,076,053 |
| インド | 530,779 | 44,690,738 |
| ロシア | 388,478 | 22,075,858 |
| メキシコ | 333,188 | 7,483,444 |
| イギリス | 219,948 | 24,425,309 |
| ペルー | 219,539 | 4,487,553 |
| イタリア | 188,322 | 25,603,510 |
| ドイツ | 168,935 | 38,249,060 |
| フランス | 161,512 | 38,618,509 |
| イラン | 144,933 | 7,572,311 |
| 中国 | 87,468 | 2,023,904 |
| 日本 | 72,997 | 33,320,438 |
| 世界累計 | 6,881,802 | 676,570,149 |

出典：NHK（2023年3月ジョンズ・ホプキンス大学発表）

## 「変異株」が特徴的だった

2019年12月に中国湖北省武漢市で初めて確認され、それからたった3ヵ月後に、世界保健機関（WHO）が**「パンデミック（世界的大流行）」**の状態にあると宣言するに至ったのが、**新型コロナウイルス感染症（COVID-19）**です。パンデミック宣言からの3年間で700万人近い死者を出す、人類史上最大規模の感染症となりました。

ウイルスは単独で自己複製する能力を持たないことから、生物には分類されません。ウイルスは自己複製できないかわりに、侵入した宿主の細胞に自分の複製を作らせることで増殖するわけですが、複製の際の「ミス」により、より感染力や重症化の危険度が増した「変異株」が発生するのが新型コロナの特徴のひとつでした。

## 世界規模の経済停滞を生む

当初は感染を防ぐため、国家や都市間の移動や人間同士の接触を止める政策が不可欠とされましたが、これは同時に**経済の停滞**という結果を生みました。

感染が拡大した地域での工場の停止は、グローバルなサプライチェーン（部品供給網）を寸断させ、世界中で多くの工業製品の生産が遅延しました。

感染と不景気から人びとを救うため、**mRNAワクチン**を含む有効性の高いワクチンの開発がスピーディに進みました。先進国で複数回におよぶ接種が実現する一方で、途上国ではなかなか接種が進まないという「ワクチン格差」も問題になりました。

いずれにせよ、日本の国立感染症研究所によると「今後このウイルスは人類に定着して蔓延することが予想される」ようです。人類と新型コロナの戦いは、すでに「withコロナ」という新たなステージに突入しています。

# 宇宙空間の覇権争いは年々激しさを増す

## 国家間の競争に民間企業も加わり、年間数千機の人工衛星が打ち上げられる

### スペースX社の「スターリンク」

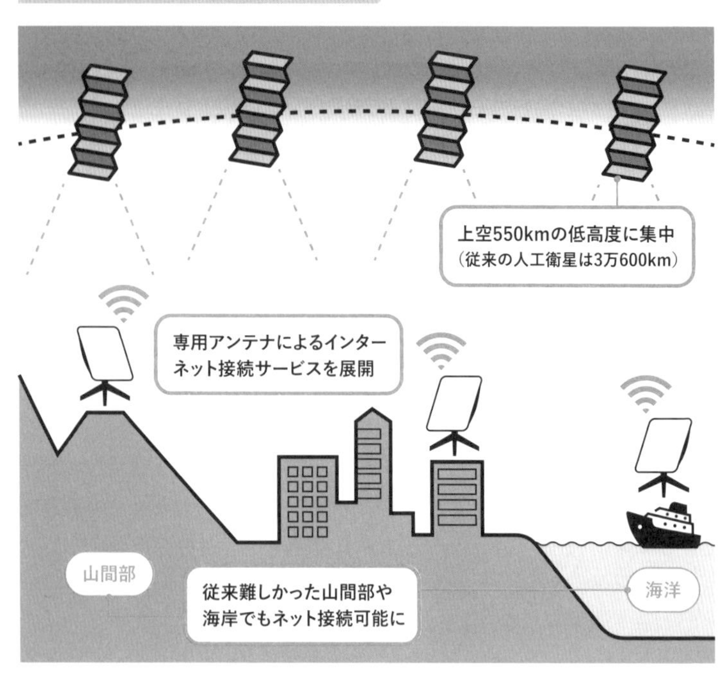


低軌道衛星を使うため、
従来の衛星通信と比べて高速な通信速度に

## 宇宙開発はビジネスと軍事面で大きな意味を持つ

インターネットやスマートフォンの普及により、人工衛星が提供する情報や機能は、私たちの生活に欠かせないものとなっています。

2022年の時点で、地球の周辺には8000基近い人工衛星が存在していました。人工衛星は年間2000基を超えるペースで増え続けており、とくに上空400km以内の低軌道域においては、**人工衛星同士の衝突や、デブリと呼ばれる超高速で動くごみの増加**が懸念される状況です。

宇宙開発は強大なビジネスの可能性を秘めており、かつ、軍事的にも大きな意味を持つため、国際的な覇権争いは苛烈さを増しています。

ここでも**中国が存在感を見せる**ようになっており、多くの企業と手を組みながら、人工衛星や宇宙ステーションの開発を進めています。

## アメリカでは民間企業による宇宙開発がさかん

一方のアメリカでも「アメリカ航空宇宙局（NASA）」や、2019年に創設された「合衆国宇宙軍（USSF）」が、それぞれ年間200億ドル以上の予算を要求しながら宇宙開発を進めています。

Amazon創業者ジェフ・ベゾス氏が設立した「ブルーオリジン」や、TeslaのCEOイーロン・マスク氏が設立した「スペースX」といった新興企業の活動もさかんです。

スペースX社は、打ち上げコストの安い低軌道上に打ち上げた数千基の小型人工衛星を互いに連携させる「衛星コンステレーション」と呼ばれるシステムを運用し、**「スターリンク」**というインターネット接続サービスを世界各地に提供しています。

2022年に始まったウクライナ危機においても、スターリンクはロシア・ウクライナ両軍に使用されており、すでに**宇宙開発企業が国際政治に大きな影響を与える存在**になっていることがうかがえます。

# 株式時価総額の上位は米国のIT企業が独占

## 中国の企業も大きく成長しているが、政府の統制を受けることも

株式時価総額ランキング（2024年1月）

| | 企業名 | 国名 |
|---|---|---|
| 1 | Microsoft | アメリカ |
| 2 | Apple | アメリカ |
| 3 | Saudi Aramuco（国有石油会社） | サウジアラビア |
| 4 | Alphabet（Google） | アメリカ |
| 5 | Amazon | アメリカ |
| 6 | NVIDIA（半導体メーカー） | アメリカ |
| 7 | Meta Platforms（Facebook） | アメリカ |
| 8 | Berkshire Hathaway | アメリカ |
| 9 | Eli Lilly（製薬会社） | アメリカ |
| 10 | Tesla | アメリカ |
| 12 | TSMC（半導体受託製造） | 台湾 |
| 35 | トヨタ自動車 | 日本 |

## Apple や Google、Amazon など

国際社会において、ときに国家以上に大きな存在感を見せるのが、「企業」です。近年の世界の株式時価総額ランキング上位にはAppleやMicrosoft、Googleの運営会社であるAlphabet、Facebookの運営会社であるMeta、電子商取引（EC）のAmazonなど、アメリカの名だたるIT企業群が並んでいます。

いずれの企業も、OSや検索サービス、SNSなど、それぞれの得意分野で**「プラットフォーム」の覇者**となり、莫大な利益を上げ、その利益を自動運転技術や都市の開発などに投資しています。

2022年の秋頃から、これらの企業の多くは大幅な人員削減を進めましたが、2024年の前半には、生成AIの発達を追い風に、GPU（画像処理装置）を開発する**NVIDIA社の株価が高騰**しました。先行きは常に不透明です。

## 中国のアリババやテンセント、バイドゥなど

一方、中国の企業も大きな成長を遂げています。EC事業で頭角を現し、モバイル決済「アリペイ」を中国の新たな社会インフラとしたアリババグループ、移動通信設備やスマホの開発で優位に立つファーウェイ、独自のメッセージアプリやSNSを経由して様々なアプリを販売するテンセント、Googleを締め出した中国国内で検索サービスを提供するバイドゥなどは、中国を代表するIT企業群です。

ただ、2023年８月、中国の不動産大手「恒大集団」が、日本円にして50兆円近い負債を抱えて米国の裁判所に破産申請をしたことから、中国経済の先行きを警戒する声が強まりました。

統制型資本主義をとる中国の企業は、良くも悪くも**国家による影響を強く受けます**。医療やスマートシティなど、各分野のリード企業として選定された企業は、国家によるバックアップを受けますが、政府に警戒される存在になると、統制を受けることもある世界です。

COLUMN

## 「生成AI：ChatGPTの衝撃」

2022年11月、チャット形式で簡単にAIと「対話」ができるChatGPTが公開されると、約2ヵ月で利用者は1億人を突破、にわかに「生成AI」が大衆の注目を集めました。

GPTは、アメリカのOpenAI社が開発する、文章生成を得意とした高性能AIです。「Generative Pre-trained Transformer」の略称で、「Generative」のところは「生成」と訳されます。場面場面に合わせて適切と思われる文章を自ら生み出していくことができます。

そのためには事前に膨大な文章を学習させ、倫理や政治に照らして不適と思われる解答を排除するような調整を施す必要がありますが、その部分は開発者があらかじめ進めており、利用者が手を煩わせる必要はありません。「Pre-trained」と言われる所以です。

「Transformer」はGoogleが開発したAIの機械翻訳技術の名称です。これによってGPTは、入力された文章の単語同士の関係や単語の位置などから、どのような答えを返すと「もっともらしい解答になるか」を計算し、出力する能力を大きく向上させました。

GPTはあくまで大規模言語モデルに過ぎず、人間のように「考える」AIではありません。しかし、言語と画像を互いに「翻訳」することでなされる画像認識や画像生成のレベルも上がっていますし、プログラミングも専用の「言語」を用いてなされるものですので、機械やソフトを操るのもお手のもの。できることはかなり増えています。

日本は比較的、AIに対する拒否感が小さい国ですが、世界的にはそれが大きい国も少なくありません。急激に成長するAIとの付き合い方は、様々な階層で人類が向き合う国際的な課題となっています。

# PART 2

# 貿易と物流のキホン

石油や石炭、天然ガスなどの資源、
半導体や自動車に代表される工業製品、
米や小麦、畜産物や魚介類といった食料など、
国家間を行き来する物資についてまとめました。
貿易に関するキーワードについても解説しています。

# 世界の物流を支える「コンテナ」の発明

## 「20世紀最大の発明」と言われるコンテナは物流コストを激減させた

### 海上輸送の主なコンテナ

20フィートコンテナ

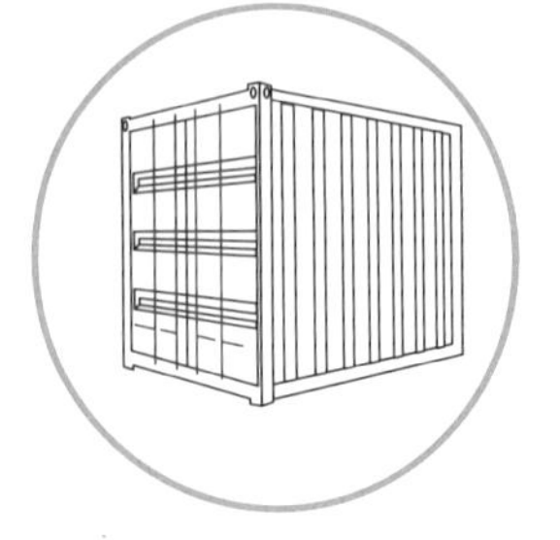

長さ約6m。寸法は国際的な規格(ISO)で決まっている

40フィートコンテナ

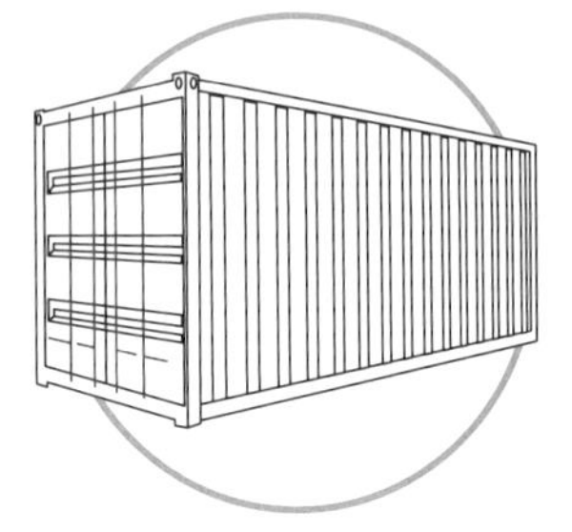

20フィートコンテナの倍の長さ。床面積は約17畳

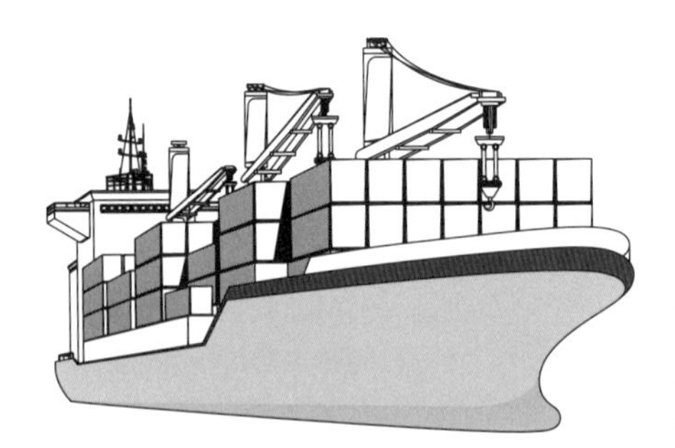

コンテナ船は大型化し、スエズ運河を通行できる限界サイズに近い縦400m、横60m前後の大型船も登場している

## 日本の貿易品の 99%が海上輸送で出入りしている

一般的に、商取引の流れを「商流」と呼ぶのに対し、モノの流れを「物流」と呼びます。この２つをあわせて「流通」と呼びます。「貿易」は、一般的に国際的な商流を指して用いられる言葉です。

ちなみに、島国日本の貿易品は、**重量ベースで約99%、金額ベースで約75%が海上輸送**で出入りしています。コストのかかる航空機による輸送は、小型で軽くて高価な品に限られています。

現在、物流、とくに国際物流の多くは、「コンテナ」と呼ばれる、国際的に統一されたサイズの金属製の箱を用いて進められます。

国土交通省の資料によると、1950年代にアメリカで誕生したコンテナは、３ヵ月後には**荷物の積み替えなどのコストを40分の１まで下げ**、物流の世界に革命を起こしたとのことです。

コンテナは、物流の安定性・確実性を上げるとともに、大量一括輸送を可能としました。コンテナ船は、パナマ運河やスエズ運河といった、いくつかの要所を通過できるギリギリのサイズまで大型化が図られています。

また、世界中の港湾が、国際競争力を保つために、大型化したコンテナ船と大量のコンテナを受け入れる改修工事に追われています。

## トラック輸送を鉄道や船舶に切り替える動きも

現在、国際社会は、地球温暖化やドライバー不足といった問題への対策の一環として、これまでトラック輸送に頼っていたところを鉄道や船舶に切り替える**「モーダルシフト」**を進めています。

この動きのなかでも、異なる乗り物同士の積み替えを容易にしてくれるコンテナの価値は高まっています。

**「20世紀最大の発明」**とも呼ばれるコンテナは、世界中のサプライチェーンを支える、非常に重要な存在です。

# 地政学上重要な海路「チョークポイント」

## スエズ運河やパナマ運河など。近年「北極海航路」が注目されている

主なチョークポイント

▶ 北極航路と現在の南回り航路

北極海航路

開通すると、日本からヨーロッパへの航路は60％程度に短縮される

## 船が通らざるを得ない運河や海峡

資源や兵力を船で運ぶときに、どうしても通過せざるを得ない海上の要衝を、地政学用語で**「チョークポイント」**と呼びます。

チョークポイントは、その一点を支配下に置くだけで関係各国に多大な影響を与えることができるため、古来より紛争の火種となってきました。代表的なものをいくつか見ておきましょう。

**スエズ運河**は1867年に開通した運河で、アフリカを迂回することなく大西洋とインド洋を行き来することを可能にします。英仏が管理下においていましたが、1956年にエジプトが国有化を宣言しました。

同じく太平洋と大西洋をつなぐ**パナマ運河**は、1914年に開通しました。当初は建設したアメリカが管理下に置いていましたが、1999年の年末にパナマに返還されました。

## 昔から紛争の火種になってきた

中東で産出された原油を日本に運ぶタンカーが必ず通るのが、**ホルムズ海峡とマラッカ海峡**です。とくにホルムズ海峡は、湾岸戦争やイラク戦争など、この地域で展開された数々の戦争の舞台として、何度も危機にさらされて来ました。

「シーレーン」とも呼ばれる既存の主要な海上交通路は、ほぼ上記のいずれか、もしくは複数のポイントを通過しますが、それとは別に現在注目を浴びているのが**「北極海航路」**です。

これまで、氷に閉ざされ、航路として機能しなかったこの海が、地球温暖化に伴い、夏期を中心に通過できる可能性が出てきたため、ロシアやアメリカなどが積極的に開発を進めているようです。

本格的に開通すれば、世界の物流が大きく変わってくる可能性があります。

# 戦後、エネルギーの主役は石炭から石油へ

## 私たちの生活のあらゆるところで石油製品が使われている

### 石油製品の種類

**石油ガス**

液化石油ガスをLPと呼ぶ。いわゆる「プロパンガス」やタクシーの燃料として使用

**ガソリン・ナフサ**

ガソリンは乗用車の燃料、ナフサはプラスチックや化学肥料など様々な製品の原料に

**軽油**

主にトラックやバスなどのディーゼルエンジンの燃料として使用

**灯油・ジェット燃料油**

灯油は石油ストーブの燃料、ジェット燃料油はジェット機の燃料などに使用

**重油・アスファルト**

重油は主に船や火力発電の燃料として使用

## 油田の開発は19世紀後半のアメリカから

1859年にアメリカのペンシルバニアで、ドレークという人物が油田の開発に成功したのが、近代石油産業の始まりと言われています。

石油はそれまでの**鯨油に代わる燃料**として瞬く間に認知されます。20世紀に入り、アメリカでフォードが自動車の量産を始め、ライト兄弟が航空機を発明すると、石油のニーズは一気に高まりました。

現在のエクソンモービル社やシェル社などの前身となる7大石油会社が出揃ったのもこの頃です。主にアメリカ、イギリス、オランダが関わるこれらの会社は、「メジャー」「セブンシスターズ」などと呼ばれ、世界の石油産業を牛耳る存在になりました。

**20世紀初頭の世界最大の産油国はアメリカ**で、日本も石油のほとんどをアメリカからの輸入に頼っていたことが、太平洋戦争が始まるきっかけのひとつとなりました。

## 中東で油田開発が本格化

1930年代に入ると、サウジアラビアやクウェートといった中東の国々で油田開発が本格化し、これを受けて、戦後、石油は石炭に代わるエネルギーの中心となりました。世界的な潮流となったこの交代を**「エネルギー革命」**と呼んでいます。

主に途上国が自国の資源を管理・活用して発展していこうという考えを**「資源ナショナリズム」**と呼びます。中東の石油開発においても、技術力や資金力で勝るメジャーが大きな力を発揮したため、油田が存在する国家とメジャーの対立が激しさを増していきました。

1960年、メジャーに対抗するため、イラクやイラン、サウジアラビアといった5つの産油国が手を組むことを決めました。**「石油輸出国機構（OPEC）」**の誕生です。

# OPECプラスの石油は世界シェアの40%超

## 課題は米国のシェールオイル増産や新エネ普及による石油需要の低下

### OPECプラス

OPECプラス加盟国

**石油輸出国機構（OPEC）**

- サウジアラビア
- イラク
- イラン
- クウェート
- ベネズエラ

（1960年時点の原加盟国）

- リビア
- アラブ首長国連邦
- アルジェリア
- ナイジェリア
- ガボン
- 赤道ギニア
- コンゴ共和国

- ロシア
- アゼルバイジャン
- オマーン
- カザフスタン
- スーダン
- バーレーン
- ブラジル
- ブルネイ
- マレーシア
- 南スーダン
- メキシコ

（2024年2月現在）

アメリカのシェールオイルの増産を受けて、
国際的な影響力を保つため、
ロシアなどOPEC以外の産油国を加えて2016年に設立

## 1970年代の二度にわたる石油危機

1973年、エジプトやシリア、イラクといったアラブの国々とイスラエルの間で「第四次中東戦争」と呼ばれる戦争が発生します。

このとき、イスラエルを支援するアメリカやオランダといった国々にダメージを与えるため、OPECは原油の価格を約4倍に引き上げました。これによって、日本を含む多くの先進国が経済的打撃を受けます。**「第一次石油危機」**と呼ばれるできごとです。

1979年にはイランで、イスラーム原理主義勢力が親米・親メジャーの政権を倒す革命が発生します。この騒動でイランの産油量が減るなか、OPECが石油の増産を控える決断をしたのを受けて、石油の価格が再度上昇しました。これを**「第二次石油危機」**と呼びます。

すでに先進各国は省エネやエネルギーの多角化を検討するようになっており、第一次のときほどの衝撃はなかったようですが、二度にわたる石油危機によって**メジャーの影響力は縮小**していきました。

## 「OPECプラス」とは

しかし、その後、メキシコや北海（ノルウェーやイギリス）など、OPEC以外の地域での油田の開発が進みます。2010年代に入ると、アメリカやカナダが特定の岩盤の隙間に眠る「シェールオイル」の採掘を本格的に進めたのもあって、**OPECの影響力も後退**します。

この傾向に危機感を覚えたOPECは、ロシアやメキシコといった約10の非加盟国を招き、新たに**「OPECプラス」**と呼ばれる枠組みを作りました。

現在の世界の原油生産量や価格調整において、一定の存在感を放つこの枠組みのなかでは、産油量の多いサウジアラビアやロシアの発言力が大きいと考えられています。

# 世界の人びとの生活を支える安価な石炭

## 二酸化炭素などの排出量は多いが、技術革新による改善も進んでいる

### 石炭の採掘方法の変化

▶ かつての日本における石炭の採掘

かつての日本の石炭採掘は、狭い横穴を掘り進んでいく、厳しく危険な作業だった

▶ 現代の「露天掘り」

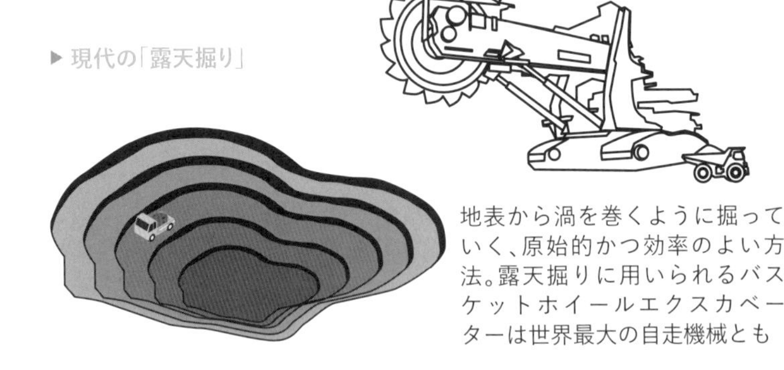

地表から渦を巻くように掘っていく、原始的かつ効率のよい方法。露天掘りに用いられるバスケットホイールエクスカベーターは世界最大の自走機械とも

## 産業革命を支えた「黒いダイヤモンド」

産業革命以降、中東を中心に石油の生産が拡大する1960年代まで、世界の燃料の主役の座を占めていたのが石炭です。鉄の生産においても不可欠な物質で、**「黒いダイヤモンド」**と呼ばれていました。

石炭は、エネルギー効率の面で石油や天然ガスに劣ります。また、燃やしたときに発生する窒素酸化物や二酸化炭素の量も多いため、戦前に比べると使用量は減少しています。しかし、**広い地域で採掘可能**なことや、**単価が安い**といったメリットは無視できるものではなく、今なお世界中の人びとの生活を支えているのもたしかです。

## 日本で使われる石炭は現在ほぼ輸入

かつては日本でも、九州の筑豊・三池、北海道の室蘭などを中心に石炭が採掘されていました。現在は無人島となっている長崎の軍艦島（端島）も、海底炭鉱への出入り口として機能していた島でした。

しかし、日本の炭鉱の多くは地下深くにあり、細く長い坑道を必要としたため、石炭の採掘は効率が悪く、危険なものでした。

これに対し、石炭の産出量が多いアメリカやロシア、中国、オーストラリア、インドネシアといった国々では、**「露天掘り」**と呼ばれる大規模な採掘がなされていることが多く、現在、日本は使用する石炭のほぼすべてを輸入に頼っている状態です。

2011年以降、原子力発電を拡大しにくくなった日本では、発電方式に占める火力の割合が増えました。日本の火力発電の燃料の主力は、二酸化炭素の排出量が少ない天然ガスですが、天然ガスには「高価」というデメリットがあるため、日本では今も電気の約20～30%を石炭火力発電に頼っている状態です。

技術開発の成果として、発電効率の向上や排出物に占める**大気汚染物質の大幅な削減**も進められています。

# $CO_2$排出量は少ないが高価な天然ガス

## LNGタンカーで運ぶために液化する工程でコストがかかる

石炭を100としたときの$CO_2$などの排出量

| | $CO_2$ 二酸化炭素 | $NO_x$ 窒素酸化物 | $SO_x$ 硫黄酸化物 |
|---|---|---|---|
| 石炭 | 100 | 100 | 100 |
| 石油 | 80 | 70 | 70 |
| 天然ガス | 60 | 40 | 0 |

天然ガスは、光化学スモッグの原因となる
窒素酸化物の発生量も少なく、ぜん息や酸性雨の原因となる
硫黄酸化物はまったく出さない

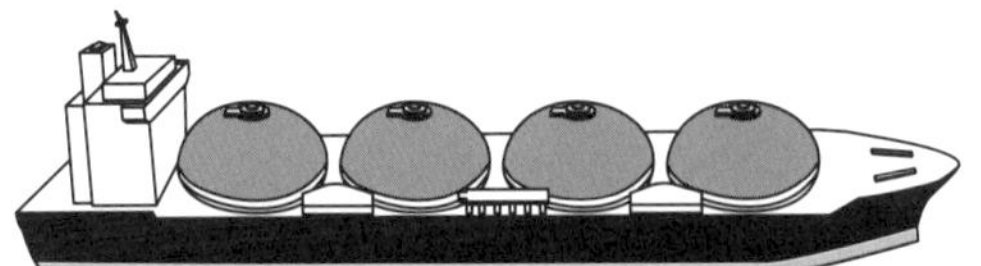

LNG（液化天然ガス）タンカー
天然ガスは輸送する際に液化するコストが高く、電気代高騰の一因になっている

## 天然ガスの$CO_2$排出量は石炭や石油より少ない

石油、石炭とともに「化石燃料」に数えられる「天然ガス」は、メタンを主成分とする可燃性の気体です。日本では**火力発電の燃料や都市ガス**として、国民の生活を広く支えています。

天然ガスは、燃える際、大気汚染の原因となる窒素酸化物や硫黄酸化物をほとんど排出しません。また、同じ量のエネルギーを生み出す際に発生させる二酸化炭素の排出量も、石炭の約６割、石油の約８割となっており、**比較的クリーンなエネルギー源**だと言えます。

## 日本でも発電などに使われるが90%以上が輸入

天然ガスの産出地は、石油ほどではないとはいえ、それでもある程度かたよっています。産出量が多い国はアメリカやロシア、イランや中国、カナダなどで、輸出量がもっとも多いのはロシアです。

日本でも新潟などでわずかに採取されていますが、実際に消費している天然ガスの90%以上は、オーストラリアやマレーシア、カタールなどから輸入されたものです。

天然ガスは気体であるため、**輸送や保存にコストがかかります**。近隣の国からの輸入であればパイプラインを利用できますが、船で運ぶとなると、液化する必要が出てきます。天然ガスを液化するには-162℃まで冷却する必要があり、この作業にお金がかかるのです。

原子力発電は拡大しづらく、再生可能エネルギーは不安定。まだまだ火力発電に頼らざるを得ないけれど、地球環境のことを考えると二酸化炭素の排出量も抑えなければならない。そんな状況におかれた日本にとって、天然ガスはとてもありがたい存在です。

とはいえ、天然ガスへの依存度を上げると電気代はどんどん上がっていくばかりという、悩ましいエネルギー源でもあります。

# 技術革新により米国の天然ガス生産量が倍増

## 地下深くの岩盤の破砕を伴う採掘には環境破壊などのデメリットも

### シェールオイル・ガスの採掘のしくみ

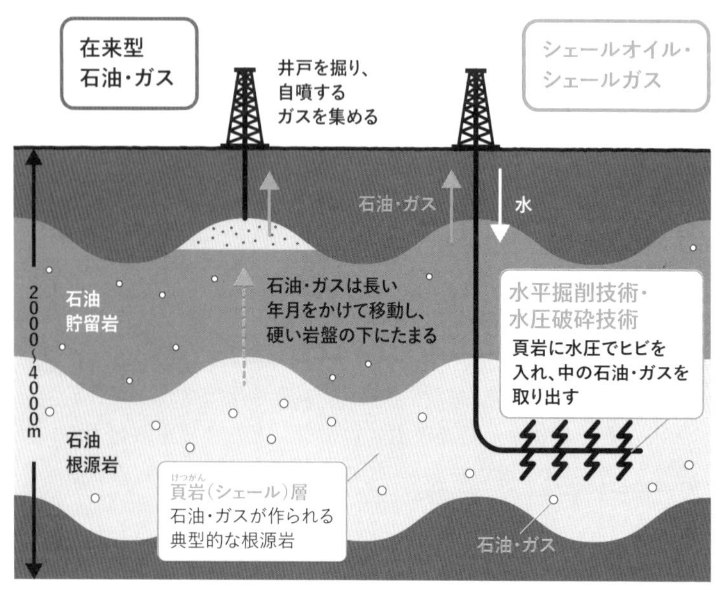


シェールオイル・ガスは深い地層に眠っており、
採掘にかかるコストや環境への負荷も大きい

出典：石油連盟

## 原油の輸入依存度を下げ、石炭使用量も減らした

シェール（shale）とは、頁岩（けつがん）という泥が固まってできた特定の岩石を指す言葉です。この頁岩の隙間に存在している石油が「シェールオイル」、天然ガスが「シェールガス」です。

アメリカで技術開発が進んだ結果、2006年頃から、地下2000mより深くに存在するこの資源の採掘が可能になりました。これによって、**アメリカの天然ガスの生産量は2000年からの10年で倍近く増え**、原油の輸入依存度も小さくなり、石炭の使用量も減りました。

こういった要因がもたらした、世界のエネルギー事情の大きな変化を「シェール革命」と呼んでいます。

## 採掘にコストがかかる

ただ、シェールオイルやシェールガスにもデメリットがあります。採掘にあたって、地下深くの岩盤層を化学物質が含まれた水で破砕していくため、**周辺の地盤や水質に与える負の影響**が懸念されます。また、採掘にコストがかかるため、原油や天然ガスの価格が下落すると、投資がしにくくなります。

2020年、新型コロナウイルスの世界的流行がもたらした原油価格の下落や、炭素の排出量を減らすカーボンニュートラル指向などが向かい風となって、シェール革命は後退するかに見えました。

しかし、2022年に入ると、天然ガスの輸出大国であるロシアが紛争状態に入ったことで、アメリカのバイデン政権は天然ガスの増産を指示。今後の動きはなかなか読みにくい展開です。

ちなみに、日本近海の海底には「**メタンハイドレート**」と呼ばれる、**固体化した天然ガス**が大量に埋まっていることがわかっています。ただ、固体である分、採掘コストが高く、いまだ商用化には耐えません。今後の調査・開発が注目される分野です。

# 粗鋼生産量は中国が2位以下を引き離す

## 製鉄業がさかんな日本は鉄鉱石を100%輸入に頼っており、円安が逆風に

世界の粗鋼生産ランキング(2023年)

| | 国名 | 単位:千トン |
|---|---|---|
| 1 | 中国 | 1,019,080 |
| 2 | インド | 140,171 |
| 3 | 日本 | 86,996 |
| 4 | 米国 | 80,664 |
| 5 | ロシア | 75,800 |
| 6 | 韓国 | 66,676 |
| 7 | ドイツ | 35,438 |
| 8 | トルコ | 33,714 |
| 9 | ブラジル | 31,869 |
| 10 | イラン | 31,139 |

2000年前後から、中国・インドの粗鋼生産量が大幅に伸長した

出典:日本鉄鋼連盟

## 鉄は鉄鉱石と石炭、石灰石から作られる

建築物や電化製品の多くに使われ、私たちの生活に欠かせない金属である「鉄」。現在、鉄は主に**「鉄鉱石」**と**「石炭（コークス）」**、そして**「石灰石」**から作られています。

鉄鉱石の主成分は酸化した鉄で、ここから酸素を取り除けば鉄ができます。そのために使うのが、石炭を蒸し焼きにして不純物を取り除いたコークスです。

酸化鉄の酸素をコークスの炭素と還元させることで取り除き、純度の高い鉄を生産します。石灰石もイオウやリンといった不純物を取り除くのに重要な役割を果たしています。

## 鉄に加工される前の「粗鋼」は中国が1位

現在、様々な鉄に加工される前の**「粗鋼」を世界でもっとも多く生産しているのは中国**です。中国の粗鋼生産量は2000年頃から爆発的に伸び、インドや日本、ロシア、アメリカ、韓国といった国々に大きな差をつけました。

一方、鉄の原材料である鉄鉱石の生産量ランキングでは、オーストラリア、ブラジル、中国、インド、ロシア、ウクライナあたりが上位にきます。鉄鉱石が採れる場所はある程度かたよっており、地球全体の埋蔵量の7割以上が上記の地域に集中しているようです。

日本は製鉄業がさかんな国で、1990年頃、日本は世界最大の粗鋼生産国でした。日本を代表する製鉄会社である「日本製鉄」や「JFEスチール」は、世界でも有数の生産規模を誇る製鉄会社であり続けています。

ただ、鉄鉱石は日本では産出されません。**鉄鉱石は100%、オーストラリアやブラジルなどからの輸入**に頼っています。そのため、近年の日本の製鉄業は、中国の過剰生産や円安などがもたらす原料価格の高騰との戦いを強いられています。

# ITや新エネの開発に必須なレアメタル

## 産出国のかたよりが大きく、国際的な獲得競争は激しさを増している

主なレアメタルの用途

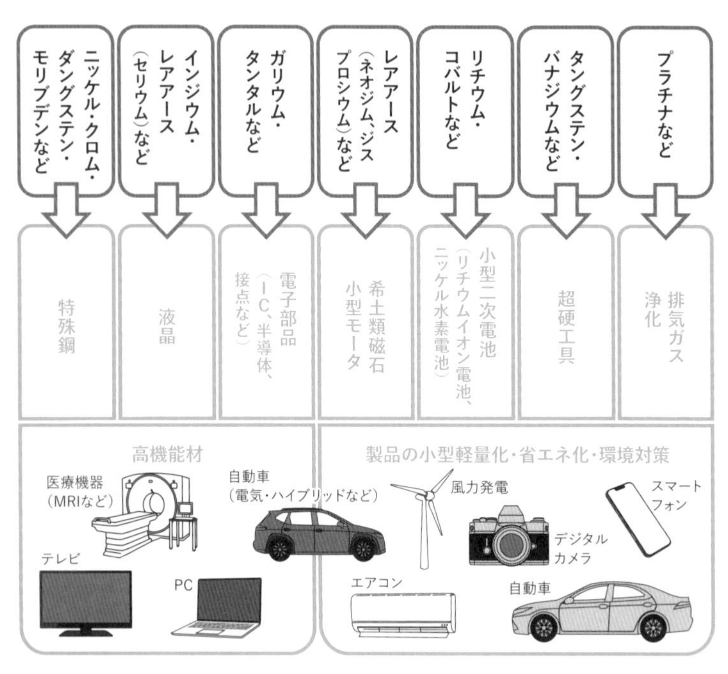


レアメタルはICT社会に必要不可欠な元素で、かつ産出地域が限定されており、国際的に重要な戦略物質

## 安定供給の確保が政策的に重要な非鉄金属

鉄や銅、アルミニウムといった、生産量が多く、様々な材料に使用されている金属は、一般的に「ベースメタル」と呼ばれます。

これに対し、「地球上の存在量が稀であるか、技術的・経済的な理由で抽出困難な金属のうち、安定供給の確保が政策的に重要」な非鉄金属が**「レアメタル」**です。また、レアメタルのうち、特定の17の元素が**「レアアース（希土類）」**と呼ばれています。

リチウムやニッケルなどに代表されるレアメタルは、電気自動車やIoT機器などに組み込まれるリチウムイオン電池やモーター、半導体等の部品などの生産に必要不可欠なものです。新エネルギー関連の分野に関わるものが多く、二酸化炭素排出量を減らさなければならない世界において、**需要が拡大するばかり**の資源です。

## 外交の取引に使われるリスクも

一方、それだけ重要な資源でありながら、各鉱物を産出する国は非常にかたよっており、そのなかには政情不安のある国も含まれているため、国際的な獲得競争は激しさを増しています。レアメタルやレアアースの供給が、**外交の取引に使われるリスク**もあります。

これらの資源のほとんどを輸入に頼っている日本のような国では、輸入先の分散や各地の鉱山開発への投資、国家レベルでの計画的な備蓄などが生命線となります。

こういった状況で注目されているのが、主に太平洋を中心とする深海に眠るといわれている**「深海鉱床」**です。

近年では各国が積極的に海底の調査に乗り出していますが、実際に採掘が始まると、今度は海洋汚染による生態系の破壊といった新たな環境問題を引き起こす恐れがあると警鐘を鳴らす声もあるようです。

# 現代の「産業のコメ」半導体産業の今

## オンライン化や生成AIの登場により半導体の需要は高まる一方

### 半導体とは

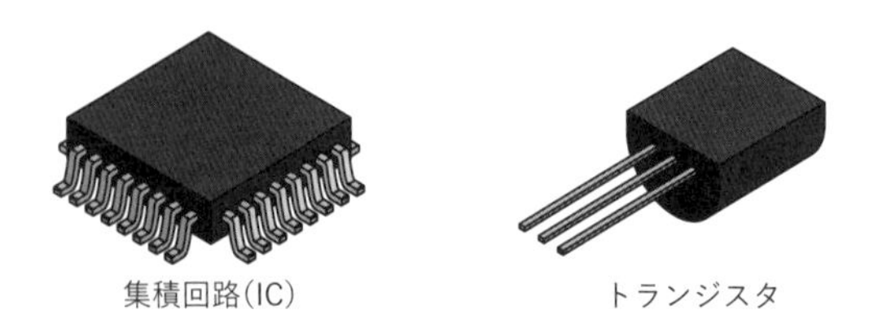


電気を通す導体と電気を通さない絶縁体の中間。
集積回路やトランジスタの材料に

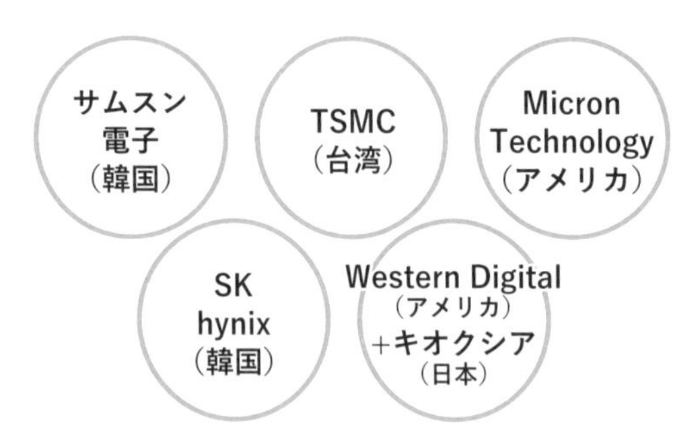


半導体の基盤となるシリコンウェハーの生産は
上位5社が世界シェアの半数以上を握る

## 米国マイクロン、韓国サムスン、台湾TSMCなど

「半導体」とは、電気をよく通す導体と、ほぼ通さない絶縁体の中間の性質を持つ、シリコンなどの物質を指します。ただ、それを用いた**トランジスタや集積回路も半導体と呼ばれることが多く**、洗濯機や冷蔵庫、パソコンやスマホ、ICカード、LED電球、自動車など、身の回りのありとあらゆる製品に内蔵されています。

1㎜の100万分の1、ナノメートル単位での技術が要求される**半導体を製作できる企業・地域は限られており**、現在では、アメリカのインテルやマイクロン、韓国のサムスン電子やSKハイニクス、台湾のTSMCといった企業が大きなシェアを握っています。

## 台湾企業の半導体工場が熊本に進出

2020年から21年にかけて、新型コロナの世界的流行に伴い、リモートワークに使用されるIT製品の需要増などを背景に、**世界的な半導体の供給不足**が発生しました。各地で自動車などの生産ラインが停止しましたが、22年に入るとこの傾向は落ち着きを見せました。

そして、22年12月にChatGPTが登場すると、今度は**生成AIを動かすのに不可欠なGPU**と呼ばれる半導体チップのニーズが高まります。ChatGPTを産んだOpenAI社にAI開発プラットフォームを提供していた**アメリカのNVIDIA社**は、世界トップクラスの株式時価総額を誇る企業に急成長しました。

「産業のコメ」と呼ばれる半導体を自国で生産できるかどうかは、経済はもちろん、安全保障においても大きな意味を持ちます。

22年11月、日本でも、先端半導体の国産化に向け、トヨタ自動車やNTT、キオクシアなど8社が出資し、国の支援も受けて「Rapidus」という新会社が設立されました。2024年2月には、台湾のTSMC社が熊本県菊陽町に建設した半導体工場が開所しました。経済効果は6.8兆円に及ぶとの試算もあり、今後の展開に注目が集まります。

# EVシフトで大きく動く自動車業界の今

## EVを動かす電気を化石燃料から作っていたのでは脱炭素は進まない

### 主なエコカー

|  |  |
|---|---|
|  電気自動車（EV/BEV）  | バッテリーを搭載し、電気でモーターを動かして走る。エンジンがないため、部品数も少なく、開発も比較的容易と言われる<br>$CO_2$は排出しないが、充電に時間がかかるため、普及に伴い充電渋滞なども発生しやすくなる。電気代の高騰も逆境となる |
| ハイブリッドカー（HEV） 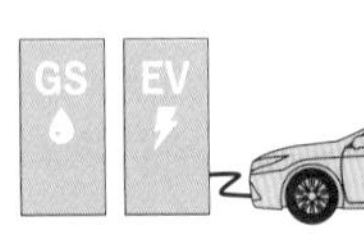 | ガソリンエンジンと電気で動くモーターの両方を搭載している。モーターは補助的な役割を果たすことが多く、ガソリンの補給は必要 |
| プラグインハイブリッドカー（PHEV） | 大型バッテリーを搭載し、外部電源（コンセント）からの充電も可能にしたHEV |
| 燃料電池車（FCV）  | 水素を燃料とし、水素と酸素で電気を発生させモーターを動かす。水のみを排出する「究極のエコカー」と言われる<br>燃料充填も平均約3分。課題は水素ステーションの普及 |

## EV 市場は新規参入が容易

自動車業界も「100年に一度」と呼ばれる変革の季節を迎えています。いわゆる**「エコカー」**は、電気自動車（EV/BEV）や、エンジンとバッテリーを組み合わせるハイブリッドカー（HEV）、水素を燃料とする燃料電池車（FCV）などに分類されます。

EUは2035年以降、「e-fuel」を使うエンジン車以外のエンジン車の販売を禁止するとして、EVシフトを進めています。e-fuelとは、再エネ由来の電気で作った水素と、二酸化炭素から作った合成燃料です。

この流れに同調するのが中国です。90年代から生産台数を急激に伸ばした中国は、2009年にアメリカを抜いて世界１位の自動車生産国となります。ただ、従来のガソリンエンジン車では世界の市場でシェアを広げるのが難しかったこともあり、中国政府はEVなどの開発に大規模な投資をするようになりました。これによって、2023年、**中国は自動車の輸出台数でも世界１位**となりました。

## 自動車産業を巡る世界の動き

とはいえ、現在のガソリンエンジン車をすべてEVにかえたところで、EVを動かす電気を化石燃料から作っていたのでは、世界の$CO_2$排出量は大きくは減りません。自動車業界の大きな変化は、脱炭素を推進する手段という以上に、**エネルギー政策や産業構造全般に関わる国際的な覇権争いの一部**ととらえることもできそうです。

自動車業界の変革はエコカーの開発にとどまりません。インターネットを介して自動車を外部の機器や他の自動車とつなげる「コネクテッド」、「オートノマス（自動運転）」「シェアリングサービス（共有）」そして「エレクトリファイ（電動化）」の頭文字をとった**「CASE」**という言葉を目にする頻度も増えました。自動車に関わる私たちの様々な「当たり前」が、大きく変わっていこうとしています。

# 世界の穀物の25%を占める米は自給的作物

## 世界の米の生産は東〜南アジアに集中、輸出されるのは1割未満

米の生産量の多い国（モミ量）

| 順位 | 国名 | 生産量（1000トン）（2020年） |
|---|---|---|
| 1 | 中華人民共和国（中国） | 211,860 |
| 2 | インド | 178,305 |
| 3 | バングラデシュ | 54,906 |
| 4 | インドネシア | 54,649 |
| 5 | ベトナム | 42,759 |
| 6 | タイ | 30,231 |
| 7 | ミャンマー | 25,100 |
| 8 | フィリピン | 19,295 |
| 9 | ブラジル | 11,091 |
| 10 | カンボジア | 10,960 |
|  | 日本 | 9,706 |

米は自国で消費されることが多い「自給的作物」

出典：総務省統計局「世界の統計2023」

## 世界で生産される穀物の約25%を占める

「穀物」とは、でんぷんが多く含まれる種子を食用とする植物の総称です。このうち、「三大穀物」として、多くの地域で主食とされているのが「米」「小麦」「とうもろこし」です。

「米」は世界で生産される穀物の約25%を占めています。一般的に、同じ畑で同じ作物を連続して栽培すると、土壌の栄養分にかたよりが生じ、作物が育ちにくくなる傾向があります。

これを「連作障害」と呼びますが、大部分が水田で生産される米には、水の入れ替えによってこの**連作障害を回避しやすい**という特徴があります。

この特徴が、持ち前の**カロリーの高さ**と相まって、米を非常に多くの人口を支える作物にしています。

## 生産量1位は中国、輸出量1位はインド

一般的な米の生育条件は、年間降水量が1000㎜を越え、気温が17度を超える期間があることです。ちなみに、東京の平均年間降水量が約1400～1500㎜です。

米の生産量ランキングは中国を筆頭に、インド、バングラデシュ、インドネシア……と続いており、世界の米の約9割が**東～東南～南アジアの国々**で生産されています。

輸出量ではインドやタイ、ベトナムあたりが上位にきます。長い間、世界最大の米の輸出国はタイでしたが、**新たな品種や化学肥料の導入、機械化などによる「緑の革命」**によって米の増産に成功したインドが、2020年頃から1位となっています。

ただ、米はそもそも**「自給的作物」**と言われ、貿易に回される米は生産量の1割にも届きません。インドでも、国内の人口を支えるため、米の輸出には慎重であるべきという声もあるようです。

# 全体の25%が輸出される商業的作物・小麦

## ロシアとウクライナの小麦の生産量と輸出量は、ともに世界有数

小麦の生産量の多い国

（2020年）

| 順位 | 国名 | 生産量（1000トン） |
|---|---|---|
| 1 | 中華人民共和国（中国） | 134,250 |
| 2 | インド | 107,590 |
| 3 | ロシア | 85,896 |
| 4 | アメリカ合衆国（米国） | 49,691 |
| 5 | カナダ | 35,183 |
| 6 | フランス | 30,144 |
| 7 | パキスタン | 25,248 |
| 8 | ウクライナ | 24,912 |
| 9 | ドイツ | 22,172 |
| 10 | トルコ | 20,500 |
| | 日本 | 949 |

輸出量は1位：ロシア、2位：EU、3位：オーストラリア、4位：カナダ、5位：アメリカとなる

出典：総務省統計局「世界の統計2023」

## 米と同じくらいの生産量

高温多雨な環境を好む米に対し、やや冷涼で乾燥した気候の地域で栽培される穀物が「小麦」です。小麦も米と同様、世界で生産される穀物の約25%を占め、多くの人口を支えている穀物です。

米と異なり、**連作障害対策**が求められるため、ヨーロッパやアメリカ北西部といった地域では、小麦に続いて根菜類や大麦、牧草などを順に栽培しながら、並行して家畜の飼育も進める**「混合農業」**が展開されています。

## 中国とインドは米だけでなく小麦の生産量もトップ

国別の生産量を見ると、**中国・インド**が突き抜けて多くなっています。チェルノーゼムと呼ばれる肥えた黒色の土壌が広がる**ロシアとウクライナ**も、世界有数の小麦の生産国です。また、この両国は世界有数の小麦の輸出国でもあります。

2022年から本格化したロシアのウクライナ侵攻を受けて、同年５月の時点で早くもインドが小麦の輸出規制を発表しました。

同年９月に洪水による甚大な被害を受けたパキスタンも、世界有数の小麦の生産国です。気候変動の影響もあって、世界的な穀物価格の高騰は中長期的に続きそうです。所得の低い食料輸入国の人びとは常に飢餓の危機にさらされています。

自給的な作物である米とは対照的に、小麦は**生産量の約４分の１が輸出に回される「商業的な作物」**です。

アメリカのカーギル社やコンチネンタル社などに代表される５つの多国籍穀物商社が、石油になぞらえて「穀物メジャー」と呼ばれており、小麦の他に大豆やとうもろこし、さらに食肉や油脂、加工食品なども含め、世界の食物市場に対して強い影響力を及ぼしています。

# 食用以外の利用が多いとうもろこしの生産

## 家畜の飼料やバイオマス発電の燃料として、多くの人びとの生活を支える

とうもろこしの生産量の多い国

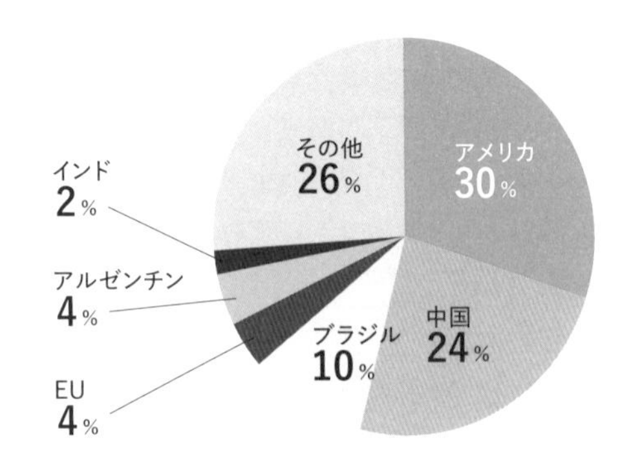


▶ 多くは食用以外に使われる

約6割が家畜の飼料に。
とうもろこしからとれる油は石油の代替物にもなる

## 世界全体で生産される穀物の約４割を占める

穀物のなかでもっとも生産量が多いのは「とうもろこし」です。世界全体で生産されている穀物の約４割を占めています。

そのまま食べることもできますが、コーンフレークなどに形を変えて食卓にあがることもあります。メキシコのトルティーヤはとうもろこしの粉から作られる薄焼きのパンで、トルティーヤで肉や野菜などの具を巻くとタコスになります。

ただ、とうもろこしのなかで食用にまわされるのは、全体の約25％に過ぎません。とうもろこしの**約６割は家畜の飼料**として利用されています。世界的に肉の消費量は増えているため、それに伴い飼料用のとうもろこしの生産量も増えています。

また、同じように近年増加しているのが、再生可能エネルギーのひとつである**バイオマス発電の燃料**として栽培されるとうもろこしです。とうもろこしをはじめとした穀物のエネルギー利用は、世界的な穀物価格の高騰に一役買っており、人類は「エネルギーか食料か」という選択を突きつけられている状況です。

## 生産量は１位アメリカ、２位中国

ちなみに、世界で生産されるとうもろこしの約半分が、**アメリカと中国**で生産されています。ブラジルやアルゼンチン、ウクライナといった国々でも生産がさかんです。これらのうち、中国を除く国々は輸出量でも上位にランクインします。

日本は家畜に与える穀物飼料をほぼすべて輸入に頼っており、その約半数がアメリカやブラジルから輸入されるとうもろこしです。日本の肉類の自給率はカロリーベースで約50％ですが、飼料の輸入率が高いため、実態はもっと低いと考える人もいます。

# 大量消費の下、牛・豚・鶏の飼育環境が問題に

## 日本では、コスト削減のため狭いところに閉じ込める飼育方法が一般的

### 世界の食肉生産ランキング（2022年）

牛肉

| | 世界 | 7579万トン |
|---|---|---|
| 1 | アメリカ | 1289万トン |
| 2 | ブラジル | 1035万トン |
| 3 | 中国 | 718万トン |
| 4 | インド | 435万トン |
| 5 | アルゼンチン | 314万トン |

豚肉

| | 世界 | 1億2229万トン |
|---|---|---|
| 1 | 中国 | 5541万トン |
| 2 | EU | 2228万トン |
| 3 | アメリカ | 1225万トン |
| 4 | ブラジル | 435万トン |
| 5 | ロシア | 391万トン |

鶏肉

| | 世界 | 1億182万トン |
|---|---|---|
| 1 | アメリカ | 2099万トン |
| 2 | ブラジル | 1447万トン |
| 3 | 中国 | 1430万トン |
| 4 | EU | 1087万トン |
| 5 | メキシコ | 376万トン |

出典：農畜産業振興機構

## 余った食料等利用の「エコフィード」の研究も

牛や豚、鶏などの飼育頭数においては、**アメリカや中国、インド、ブラジルなど**、人口や面積が上位の国がそのまま上位にきます。人類が肉類の大量生産・大量消費を進めるなか、飼育の仕方を見直す声も上がってきています。

肉牛は、主に草を食べて育つ「グラスフェッド」と、出荷前にフィードロットという施設に送られ、穀物を食べて肥育させられる「グレインフェッド」に分けられます。

アメリカやオーストラリアから日本が輸入しているのは主に後者ですが、世界的な穀物価格の高騰を背景に、余った食料などを飼料として利用する「エコフィード」の研究も進められています。

## 日本での「アニマルウェルフェア」の浸透はこれから

豚に関しては、繁殖用の母豚を100日以上、ほぼ身動きがとれない状態に固定する**「妊娠ストール」**の使用が問題視されています。EUやアメリカ、ブラジルなどでは使用期間の短縮や廃止に向けた動きが進んでいますが、日本では広く使用されている状況です。

採卵鶏に関しても、日本では、管理効率を最大化するために1羽を非常に狭い空間に閉じ込める**「バタリーケージ」**の使用が一般的です。

品種改良の結果、通常80日程度かかるところを、50日程度で出荷可能となるブロイラー（肉用鶏）についても、限界に近いところまで飼育密度が上げられているところが多いようです。

世界的には**「アニマルウェルフェア（動物福祉）」**の観点から、ストレスや苦痛の少ない飼育環境を目指す取り組みが徐々に広がりつつあります。面積も狭く、飼育コストが上がりがちな日本では、私たち消費者の意識がまだまだそちらに向いていないのが現状です。

# 水産物需要は年々増加、全体の3割が輸出に

## ノルウェーのサケ類やアジアのエビなど輸出が多い地域では養殖もさかん

### 水産物のランキング

▶ 世界の漁獲量ランキング（2021年）

| | | |
|---|---|---|
| 1 | 中国 | 1,314.2837 |
| 2 | インドネシア | 720.1903 |
| 3 | ペルー | 657.6171 |
| 4 | ロシア | 516.7703 |
| 5 | インド | 502.4905 |
| | 日本 | 325.5335 |

（単位：千万トン）

▶ 世界の水産物輸出量ランキング（2021年）

| | | |
|---|---|---|
| 1 | EU・英国 | 861.9503 |
| 2 | 中国 | 374.6061 |
| 3 | ノルウェー | 270.9403 |
| 4 | ロシア | 235.5958 |
| 5 | チリ | 156.4166 |
| | 日本 | 62.9383 |

（単位：千万トン）

出典：2022年度 水産白書（水産庁）

## 漁獲量は中国が世界１位

水産資源の**生産量では、世界１位の中国**が２位のインドネシアに２倍近い差をつけています。2019年のデータですが、中国では養殖による生産量が漁獲量の４倍を上回っており、膨大な人口をまかなってなお、**輸出額でも2004年以来１位**の座に君臨しています。日本も中国からマグロやイカなどを多く輸入しています。

輸出額２位のノルウェーではサケ類の養殖がさかんです。1980年代から、政府が定めた制度が民間の大規模投資を実現させ、最先端の科学技術によって正確で安定した養殖が進められています。

## 日本はチリやインドネシアから多く輸入している

チリも水産物の輸出上位国です。カタクチイワシ（アンチョビー）の水揚げなどとともに、こちらでもサケ類の養殖が進められており、その背景には1970年頃から始まった、JICAと日本企業による技術協力があります。日本と季節が反対になる南半球に位置するチリは、日本でサケが獲れない時期の入荷先として、日本にとってもメリットの大きいものでした。

インドネシアではカツオやマグロの水揚げが多く、また、東南アジアや南アジアの沿岸部の国々とともに、エビの養殖も拡大させています。日本もベトナムやインド、インドネシアなどから多くのエビを輸入しています。**エビの養殖池の開発は、海岸に広がるマングローブ林の減少の一因**になり続けてきました。

世界中の生産量の約30％が貿易に回される水産物は、14％前後が貿易に回される肉類以上に、国際商材としての側面を強く持ちます。

増え続ける世界人口をまかなうためには、マイクロプラスチックに代表されるごみ問題や富栄養化、乱獲、海水温の上昇や海水の酸性化など、海に関わる環境問題の解決も急務となっています。

# 関税は自国の産業を保護するためにある

## 関税などの障壁を排除する自由貿易は国際競争力の強い国に有利

### 関税は「自国産業の保護」のために必要

日米貿易協定によりアメリカ産の牛肉に課される関税は原則として25%前後に(2023年)

## 関税により輸入品の値段は上がり、国産品優位に

自由貿易と保護貿易について考える前に、「関税」の説明をしておきたいと思います。**関税とは「輸入品にかかる税」**です。

A国に自動車を輸入しようとしている業者があるとします。A国がこの業者から関税をとった場合、この業者は関税の分だけA国で売る自動車の値段を上げないと、本来想定していた利益を得ることができません。

こうして輸入品の価格を上げることで、A国ではA国産の自動車がより売れやすくなります。

このように、関税は輸入する側の国に**「自国の産業を保護する」**効果をもたらします。また、特定の商品の輸入を制限する制度（法律）や宗教上の戒律などが、関税と似たような役割を果たすこともあります。こういったものを非関税障壁と呼んでいます。

## 自由貿易は他国に売れる商品の多い国に有利

関税に代表されるこのような障壁を、できるだけ排して行われる貿易を**「自由貿易」**と言います。「自由」とはすなわち「競争が激しい」ということで、自由貿易は基本的に国際競争力が強い国、他国に売れる商品をたくさん有している国に有利な貿易です。

幕末、開国を余儀なくされた江戸幕府は、欧米諸国に対して「関税自主権」を持たないとする不平等条約を締結しました。関税自体は存在していましたが、欧米諸国は日本から関税を自由に設定する権利を奪うことで、日本に商品を輸出しやすい状態を作ろうとしたわけです。

これに対し、輸入品に高関税をかける貿易を**「保護貿易」**と呼びます。自由貿易と保護貿易は、それぞれにメリットとデメリットがあります。ただ、現代では原則として**自由貿易のほうが好ましい**と考えられることが多いようです。それはなぜでしょうか。

# 「自由貿易」が世界の潮流となった背景

## 保護貿易を進める「ブロック経済」が世界大戦の一因となったと考えられた

### 20世紀前半、経済的に分断された世界

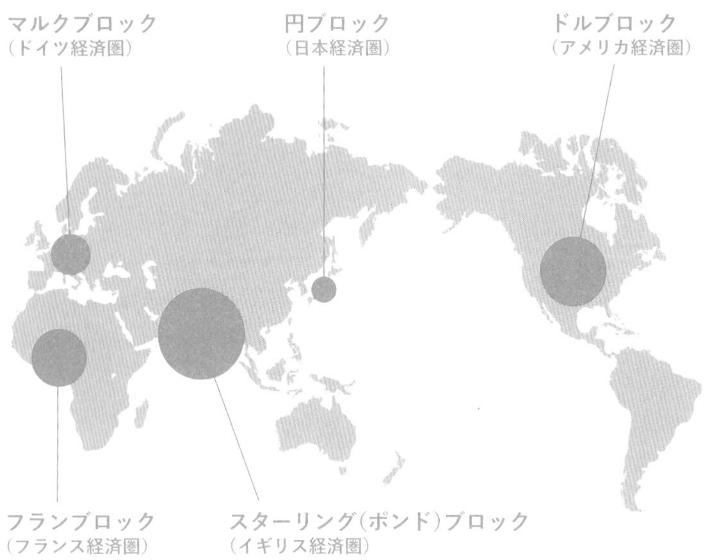


世界経済のブロック化は、
「持てる国」と「持たざる国」の格差を拡大し、
第二次世界大戦の遠因になったとされる

## 世界恐慌下でアメリカやイギリスが高関税貿易を行う

現代世界が原則として自由貿易を支持する理由は、1929年までさかのぼります。アメリカのウォール街に端を発する不景気が世界中に広がった**「世界恐慌」**です。

このとき、アメリカやイギリス、フランスといった、豊富な資源や植民地を抱える「持てる国」は、自国を中心とした経済圏の外から入ってくる製品に高関税をかけ、自国の産業を保護しながら、世界恐慌という嵐をやり過ごそうとしました。これを**「ブロック経済」**と呼んでいます。

こうなると困るのは、日本やドイツ、イタリアといった「持たざる国」です。やがてこれらの国々は、生き残りをかけて**他国への侵略**を始めました。この展開を受けて、ブロック経済は第二次世界大戦を引き起こす一因となったと考えられたのです。

## 大戦後に自由貿易を推進する「GATT」成立

そのため、第二次世界大戦終結後、自由貿易を推進する「関税及び貿易に関する一般協定（GATT）」が成立し、これが1995年の**「世界貿易機関（WTO）」**の誕生につながりました。

しかし昨今では、WTOの機能不全も一因となって、**個別に特定の国同士で自由貿易を進める「自由貿易協定（FTA）」や「経済連携協定（EPA）」**を結ぶ国々が増加しています。

また、「欧州連合（EU）」や「東南アジア諸国連合（ASEAN）」などが進める、**地域の経済統合の動き**もさかんです。「環太平洋パートナーシップ協定（CPTPP）」や「アメリカ・メキシコ・カナダ協定（USMCA）」といった協定も、一定の存在感を持っています。

こうした地域経済の統合の動きが、再び地域間の対立、紛争の火種となるのを警戒する必要があるという意見もあるようです。

# 特定の国同士で結ぶ自由貿易協定の広がり

## WTOの機能不全を受けて、世界の各地域に300以上の協定ができる

### EPAはFTAを内包する枠組み

EPA（経済連携協定）

投資、人の移動、知的財産の保護や競争政策におけるルール作り
様々な分野での協力関係

FTA（自由貿易協定）

- 物品関税の削減、撤廃
- サービス貿易における輸入数量制限などの削減、撤廃

日本国政府は、ASEAN諸国やEUなどとの間でEPAを積極的に締結している

## 小回りがきくFTA・EPA

貿易に関するルールの策定や紛争の解決といった機能を期待されて生まれたWTOでしたが、そこにおける交渉は、先進国と途上国の対立などを理由に停滞していきました。

それを受けて、「FTA（自由貿易協定）」や「EPA（経済連携協定）」といった**「特定の国家間での交渉」**が存在感を示し始めました。

日本政府は、関税に代表される貿易の障壁の削減を目指すFTAと、それにプラスして、人の移動や投資、知的財産の保護など、様々な分野における経済関係の強化を目指すEPAを区別してきました。

ただ、世界には幅広い分野での連携が含まれるFTAも多く存在しており、国際的には両者を区別しないことも多いようです。

## 日本は多くの国と協定を結んでいる

1980年代まで、EPAを含むFTAは世界に20程度しか存在しませんでした。1990年代に入ると、ソ連の崩壊を受けて独立した東欧の国々とEUの間で結ばれたFTAが増えていきます。

2000年代に入ると、グローバリゼーションの進行とともにFTAも爆発的に増加し、**現在では300を超える協定が存在**しています。

日本は2002年にシンガポールと初めてEPAを締結し、その後、ASEAN諸国を中心に拡大していきました。2019年にはEU、2020年にはアメリカ、2021年にはイギリスと、それぞれ協定を結びました。

環太平洋地域の「CPTPP」や、アジア・太平洋地域の「RCEP」といった、いわゆる「メガFTA」にも参加しています。

現在の世界において、貿易のルール作りの場は、国同士の対立や主導権争いを背景に、**数多くの協定が重層的に展開される**複雑な様相を呈しています。

# 太平洋を囲む国々の経済連携協定CPTPP

## 大国の主導権争いに伴い、数々の枠組みが乱立するアジア・太平洋地域

アジア太平洋地域の経済連携

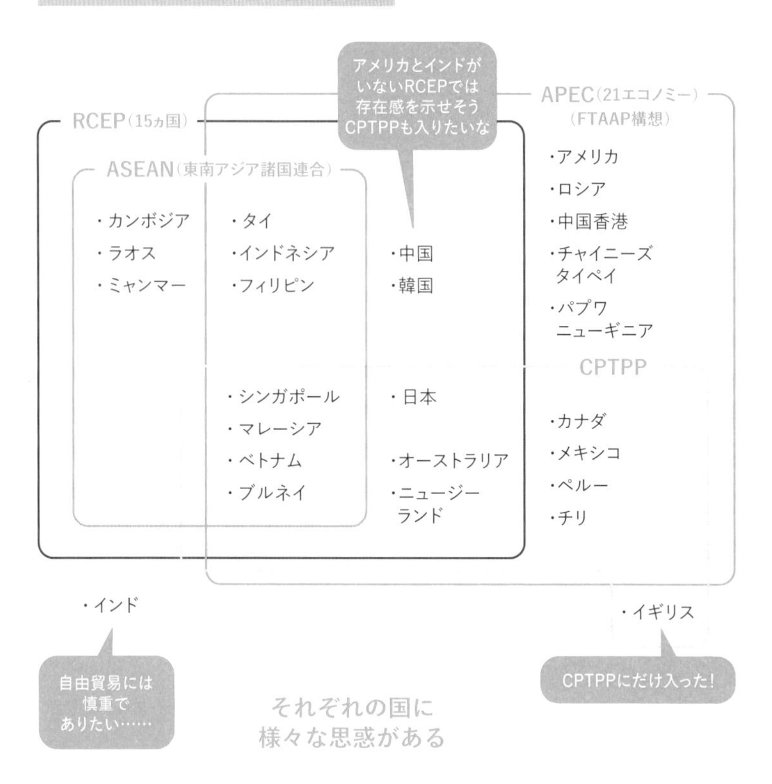

## 太平洋に面した国々の協定

**「TPP（環太平洋パートナーシップ協定）」**の企画は、太平洋を囲むブルネイ・チリ・ニュージーランド・シンガポールの4ヵ国の貿易交渉から始まりました。やがて、アメリカや日本などが加わり、交渉国は12ヵ国となります。

関税の撤廃は、それによって恩恵を受ける業界もあれば、損害を受ける業界もあります。そのため、割合の違いこそあれ、どの国にも賛成派と反対派が存在します。

過酷な条件交渉をへて、まとまりつつあったTPPですが、TPP反対派のトランプ氏を大統領に選んだアメリカが2017年に離脱を表明。対中国包囲網としての側面を持っていたTPPは、「CPTPP」として、**中国だけでなくアメリカをも除くかたちで発効**しました。

2023年には**イギリスの加盟**が決まり、CPTPPの範囲がさらに拡大しました。中国や台湾も加盟希望の意志を表明しています。

## 世界最大規模の経済連携協定「RCEP」

これに対し、2011年にASEAN主導で交渉が始まり、2022年に発効したのが**「RCEP（アールセップ）」**と呼ばれる経済連携協定です。ASEAN10ヵ国に、日中韓、オーストラリア、ニュージーランドを加えた世界最大規模の経済連携協定で、今後の動向が注目されます。

CPTPPにはアメリカと中国が、RCEPにもアメリカがいません。これに対し、2006年、APEC（エイペック・アジア太平洋経済協力）の首脳会議で**「FTAAP（エフタープ）」**と呼ばれる、APECの枠組みをそのまま利用した自由貿易協定が提案されました。

さらに2021年頃から、アメリカのバイデン政権は、インドを含めた新たなIPEF（インド太平洋経済枠組み）構想を打ち出しました。アジア太平洋地域の経済を巡る大国の主導権争いは、激しさを増しています。

# 新協定で自国の産業の保護を進めるアメリカ

## 2020年、USMCA発効により、NAFTA（北米自由貿易協定）は役目を終えた

米国の貿易相手国（2022年、金額ベース）

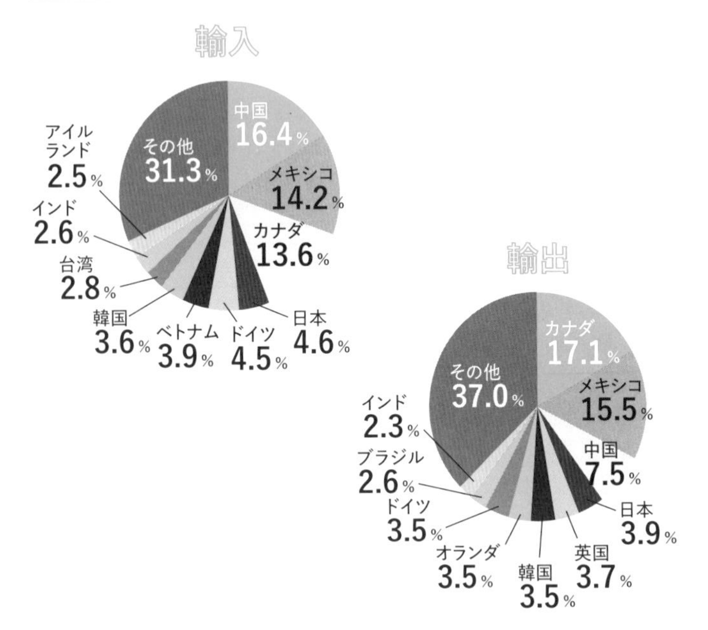


主要な貿易相手国とは協定を結んでおきたいが、
自由貿易への反発も大きいアメリカ

出典：「米国経済と日米経済関係」（2023年外務省。米国商務省経済分析局のデータより）

郵 便 は が き

（切手をお貼り下さい）

170-0013

（受取人）

東京都豊島区東池袋 3-9-7
東池袋織本ビル 4F
㈱すばる舎　行

この度は、本書をお買い上げいただきまして誠にありがとうございました。お手数ですが、今後の出版の参考のために各項目にご記入のうえ、弊社までご返送ください。

| ふりがな<br>お名前 | 男・女 | 才 |
|---|---|---|
| ご住所　〒 | | |
| ご職業 | E-mail | |
| 今後、新刊に関する情報、新企画へのアンケート、セミナー等のご案内を郵送またはEメールでお送りさせていただいてもよろしいでしょうか？<br>□はい　□いいえ | | |

ご返送いただいた方の中から抽選で毎月３名様に
**3,000円分の図書カード**をプレゼントさせていただきます。

当選の発表はプレゼントの発送をもって代えさせていただきます。
※ご記入いただいた個人情報はプレゼントの発送以外に利用することはありません。
※本書へのご意見・ご感想に関しては、匿名にて広告等の文面に掲載させていただくことがございます。

◎タイトル：

◎書店名（ネット書店名）：

◎本書へのご意見・ご感想をお聞かせください。

ご協力ありがとうございました。

## トランプ政権が推進した「米国第一」

「America First」をスローガンとしていたトランプ政権は、TPP離脱を宣言し、各国との貿易協定をアメリカに有利なものに変えていきました。1994年に成立した大型のFTAである「NAFTA（ナフタ・北米自由貿易協定）」も見直しの対象となりました。

NAFTAはアメリカ・カナダ・メキシコ間の自由貿易協定です。トランプ政権は、この協定を見直し、アメリカの貿易赤字を減らそうとしました。日本を含む域外の自動車会社が、**人件費の安いメキシコで生産した自動車を、ほぼ関税ゼロの状態でアメリカに輸出**する状況を不満としたわけです。

## 自動車の関税を免除してくれる条件を新たに規定

NAFTAに代わって新しく誕生した「**USMCA（アメリカ・メキシコ・カナダ協定）**」は、自動車の関税が免除される条件として、部品の域内生産率の引き上げや、16ドル以上の時給の労働者の関わりを一定の割合で義務づけることなどを新たに規定するものでした。

他にも多くの変更がなされた新協定ですが、いずれにせよ、自由貿易色の強かったNAFTAは、一転、**アメリカ中心の保護貿易色の強い協定**に変えられました。TPPを利用しないという方針は、バイデン政権になってからも変わっていません。

トランプ政権は、韓国とのFTA（KORUS）にも見直しをかけ、また、日本とも個別に貿易協定を結ぼうとしました。

2020年に発効した「日米貿易協定」で、日本はアメリカが求める牛肉や豚肉などの関税の引き下げに、TPPの水準を超えない範囲で応じました。一方、アメリカにとって不利益となりかねない自動車や自動車部品に関する関税の取り決めは先送りされました。

今後の交渉の行方はいまだ不透明です。

COLUMN

## 「拡大するアブラヤシ農園」

現在、多くの人びとの生活を支えている植物油の代表が、アブラヤシ（パームヤシ）からとれるパーム油です。

パーム油は、お菓子やパンといった加工食品や洗剤、せっけん、化粧品などの生産において多用されています。フライドチキンやドーナツなどの揚げ油としても活躍しており、私たち日本人の生活に大きく関わっています。近年では、バイオマス燃料として利用されるケースも増えてきているようです。

生産効率が非常に高く、価格も安いアブラヤシの栽培は熱帯でのみ可能で、現在、世界のパーム油の約90%が、東南アジアのインドネシアとマレーシアで生産されています。

これらの地域では、熱帯林の多くがアブラヤシ農園に変えられてきました。

WWF（世界自然保護基金）の報告によると、日本の1.25倍広いインドネシアのスマトラ島では、「30年前と比較すると、森は半分以下に減少」しており、日本の約２倍広いボルネオ島でも「沿岸部から内陸部に向かって急速にアブラヤシ農園が広がり、島の面積の約３分の１にあたる森がすでに失われている」とのことです。

アブラヤシ農園の開発は、熱帯林で暮らすオランウータンやアジアゾウなどの野生動物の生活の場を狭めるものです。

また、広大な農園のなかでは、強制労働や児童労働問題が発生しているとの報告もあります。ただ、パーム油の生産が現地の多くの人びとの生活を支えているのも事実です。また、パーム油ほど生産効率のよい植物油が他にないため、代替品を生産しようとすると、現在以上の森林破壊が進む可能性もあり、「解決」が非常に困難な問題だと見られています。

# 安全保障と環境のキホン

原因や影響が国境を越えるため、
解決には国家間の協力が不可欠とされる、
2つの国際的な課題について掘り下げます。
ひとつは核兵器や国連といった安全保障、
もうひとつは気候変動に代表される環境問題です。

# 他国と協力して自国を防衛する2つの方法

## 国連による「集団安全保障」は、常任理事国による戦争を止められない

同盟と集団安全保障

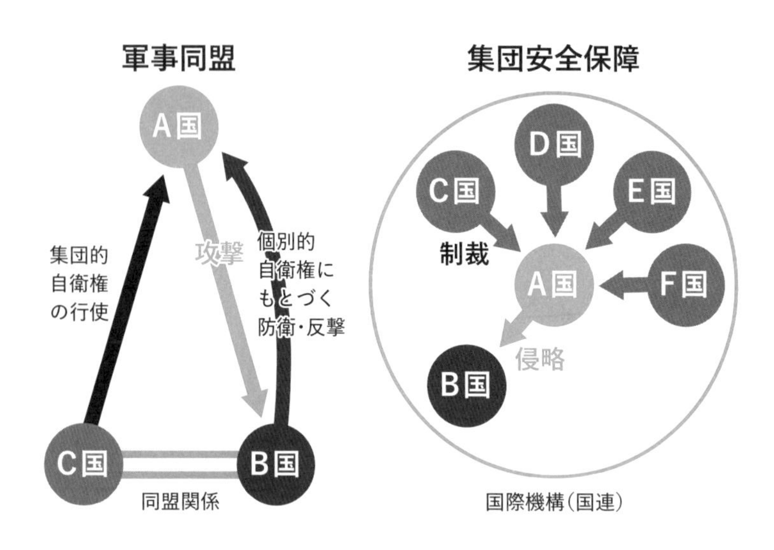


ロシアのウクライナ侵攻においては、
ロシアが国連安保理の常任理事国であったため、
国連はロシアを止めることができなかった

## 互いに協力して防衛する「同盟」

他国による攻撃から自国や周辺地域の安全をいかに守るか、というのは、ほぼすべての国が例外なく抱える課題・難題です。

まず、もっとも基本となる考え方は「自分の国は自分で守る」というものでしょう。これを**「個別的自衛」**と呼びます。ただ、個別的自衛にはどうしても限界がありますし、すべての国が個別的自衛を徹底しようとすると、地球上に存在する武器の総量が非常に多くなってしまいます。

そこで次に考えられるのは、特定の国と**「同盟」**を組むことです。同盟関係にある国が危機にさらされた際、ともに防衛することを**「集団的自衛」**と呼びます。

ただ、とくに20世紀にヨーロッパを中心に展開された、同盟と同盟の「勢力均衡」によって平和を実現させるやり方は、相互の軍事力の強化と対立を激化させ、第一次世界大戦を引き起こすきっかけとなったという批判がなされました。

## 「集団安全保障」の限界

そこで新たに提唱されたのが**「集団安全保障」**という概念でした。できるだけ多くの国をひとつの機構に所属させ、互いに武力行使をしないことを約束し、その約束を破ろうとする国や破った国を他の皆で抑えようという思想です。

このために設立されたのが国際連盟と、その後進となる国際連合でした。

ただ、国連の中枢とも言える「安全保障理事会」は、**常任理事国が持つ「拒否権」によって機能不全に陥る**ことが多く、集団安全保障にも課題が多いと言わざるを得ません。そのため、現代の国際社会では「同盟」による安全保障が、まだまだ重要な意味を持っています。

# 核兵器保有国は9ヵ国、大半を5大国が独占

## 2021年発効の「核兵器禁止条約」には、すべての核兵器保有国が批准せず

核兵器保有数(2023年1月時点)

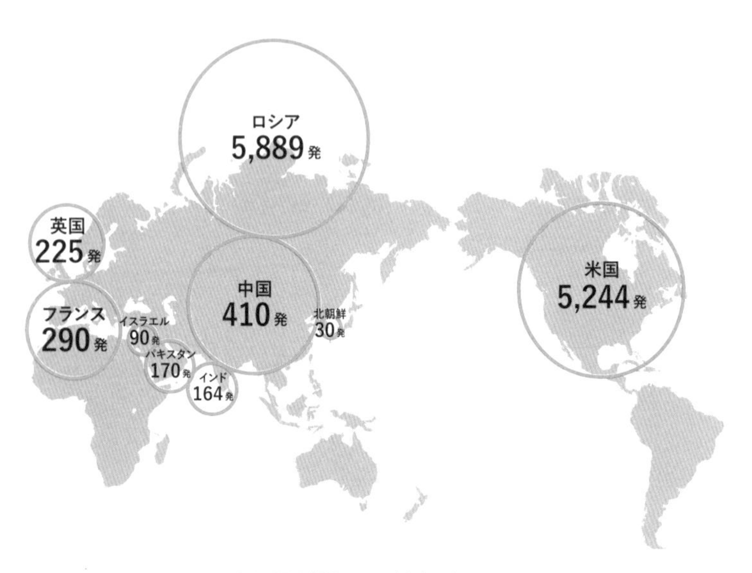


NPTが認める核保有国の
アメリカ・ロシア・イギリス・フランス・中国は、
すべて国連安保理の常任理事国

出典:国際平和拠点ひろしま

## インド、パキスタン、イスラエル、北朝鮮

2022年、ウクライナに侵攻したロシアのプーチン大統領が核兵器の使用をちらつかせたことで、核の脅威の現実味が増しました。

核の脅威を抑えるための条約のひとつが、1970年に発効した「**NPT（核兵器不拡散条約）**」です。

安全保障理事会の常任理事国である５つの核保有国以外の核保有を認めないという、見方によっては大変不公平な条約で、原子力発電など、核の平和利用を進める国には「IAEA（国際原子力機関）」の査察の受け入れを義務づけています。

常任理事国以外に核を保有している４ヵ国のうち、**インド・パキスタン・イスラエル**はNPTを批准していません。**北朝鮮**は、一度は批准したものの、脱退したと主張しています。

## すべての核保有国が参加しない「核兵器禁止条約」

2021年には、核兵器の開発や製造、保有などの一切を禁じる「**核兵器禁止条約**」が、50ヵ国の批准を受けて発効しました。

９つの核保有国はもちろん、アメリカの同盟国である日本や韓国、NATO加盟国であるEUの国々やカナダも批准しないまま、2022年６月に第１回の締約国会議が実施されました。

現在、**核兵器保有の一歩手前と見られているのがイラン**です。イランについては、2015年に安保理の常任理事国にドイツを加えた６ヵ国との間で、イランの核開発を制限するかわりに、イランに対する制裁を段階的に解除するという「イラン核合意」が成立しました。

ただ、その後、トランプ政権が一方的に離脱を表明して制裁を強化したため、その後の調整は難航し、その間にイランではウランの濃縮など、核兵器の開発につながる工程が進んでいると見られています。

# 冷戦中に生まれた西側諸国の軍事同盟NATO

## 冷戦後も東方拡大を続けるNATOをロシアは強く警戒している

### NATOの東方拡大

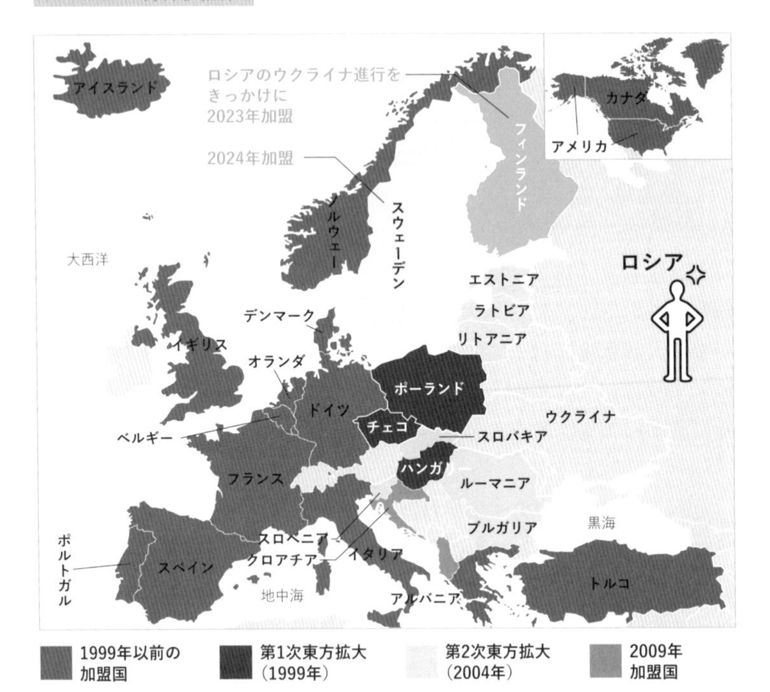


ウクライナのNATO加盟を警戒するロシアが始めた戦争はフィンランドとスウェーデンのNATO加盟を実現させた

## NATO対ワルシャワ条約機構

「冷戦」が激しさを増す1949年、西ヨーロッパの国々とアメリカの軍事同盟である**「北大西洋条約機構（NATO）」**が成立しました。加盟国が東側諸国から攻撃された場合、協力して対応することを可能にする軍事同盟でした。

ソ連もこれに対抗するかたちで、1955年、東ドイツやポーランド、ハンガリーなどとともに東側諸国の軍事同盟**「ワルシャワ条約機構」**を成立させました。ワルシャワ条約機構は、ソ連の崩壊と前後して消滅しましたが、**NATOはその後も存続**しています。

## 東欧・北欧に拡大するNATO

NATOには2024年６月の時点で32ヵ国が加盟しています。1999年以降、旧ソ連の衛星国であったハンガリーやポーランド、旧ソ連の構成国であったバルト三国などが立て続けに加盟しており、この**NATOの勢力拡大をロシアは脅威と受けとめている**ようです。

NATOへの加盟を希望しているジョージアやウクライナに対し、ロシアが軍事力の行使を含む強硬な姿勢で臨んでいることからも、ロシアのNATOに対する警戒心の強さがうかがえます。

2022年にロシアがウクライナへの侵攻を開始すると、**NATOが非加盟国であるウクライナを直接支援できない**のを目の当たりにした複数の国で、NATO加盟に賛成する国民が増えたようです。

結果として、2023年にはロシアの隣国**フィンランド**が、そして2024年には**スウェーデン**が、それぞれ新たにNATOに加盟することになりました。

NATOには加盟国以外にも、安全保障や災害救援などにおいて協力することを目的とした40を超えるパートナー国が存在しており、日本もNATOのグローバルパートナー国の一員となっています。

# QUADは「自由で開かれたインド太平洋」を志向

## 中国の太平洋進出を警戒する日米豪が、インドを加え成立させた対話の枠組み

QUADの4ヵ国

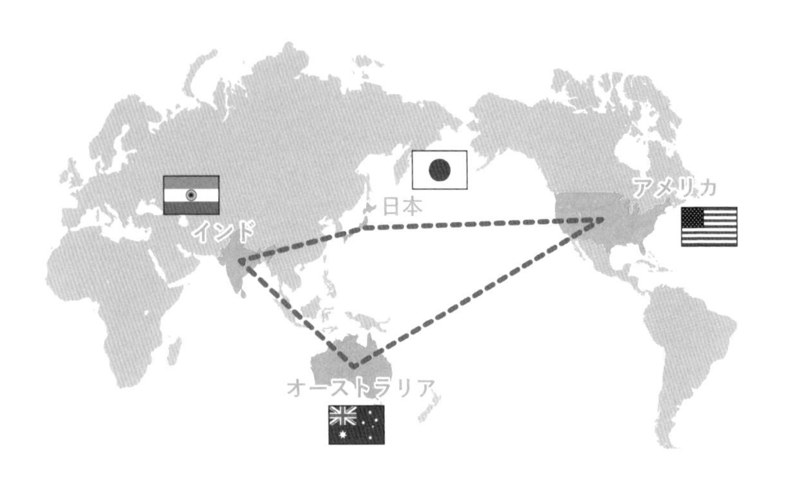


原則として年に1回、各国のトップが一堂に会する。
話題は安全保障から気候変動、
新興技術、インフラなど多岐にわたる

## 日本、アメリカ、オーストラリア、インドの４ヵ国

「QUAD（クアッド：Quadrilateral Security Dialogue）」とは**「日米豪印戦略対話」**、日本・アメリカ・オーストラリア・インドの４ヵ国で構成される多国間枠組みを指す言葉です。

新型コロナ対策や気候変動、宇宙、サイバー、インフラ、重要・新興技術の６分野で、協力体制の構築が進められています。

QUADは、安倍晋三元首相による「自由で開かれたインド太平洋」を実現しようという提案をもとに、2007年に成立しました。表向きはどこかの国を標的としたものではないとされていますが、「自由で開かれた」というフレーズの裏には、**中国に対する牽制**が含まれていると見るのが自然です。

とくにアメリカは対中国色を鮮明に出しており、2022年５月には、バイデン大統領の提案で、QUAD ４ヵ国にASEAN ７ヵ国などを加えた「インド太平洋経済枠組み（IPEF）」という新たな経済的な枠組みも発足させました。

## 非同盟主義のインドが加わる意義は大きい

冷戦の間、「非同盟主義」を貫いたインドは、独立色の強い外交を続けており、ロシアとも良好な関係を維持しています。また、中国とロシアが主導する枠組みである、「上海協力機構」の加盟国でもあります。

だからこそ、**日米豪にとってインドとの連携は重要**です。国境の係争地で中国と軍事衝突を繰り返しているインドにとっても、QUADが持つ意味は小さくないと考えられます。

中国政府はQUADを「時代遅れの冷戦の思考に満ちている」などと批判し、アジア太平洋地域での影響力を維持・拡大するために、南太平洋の島国への経済支援などを積極的に続けています。

# 世界初の大規模国際組織「国際連盟」

## 第一次世界大戦後の1920年に発足、二度目の大戦を止める力はなかった

### 大国に翻弄される国際連盟

| | | |
|---|---|---|
| 1920年 | 1月 | 国際連盟設立。原加盟国は42。理事会の常任理事国は、イギリス・フランス・イタリア・日本。本部はスイスのジュネーブにおかれた |
| 1926年 | 9月 | ドイツ加盟 |
| 1931年 | 9月 | 満州事変勃発 |
| 1933年 | 3月 | 日本脱退 |
| | 10月 | ドイツ脱退 |
| 1934年 | 9月 | ソ連加盟 |
| 1935年 | 10月 | イタリア、エチオピア侵攻 |
| 1936年 | 7月 | スペイン内戦勃発 |
| 1937年 | 7月 | 日中戦争勃発 |
| | 12月 | イタリア脱退 |
| 1939年 | 9月 | ドイツ、ポーランド侵攻 第二次世界大戦勃発 |
| | 11月 | ソ連、フィンランド侵攻 |
| | 12月 | 国連、ソ連を除名 |
| 1945年 | 10月 | 国際連合憲章発効 |
| 1946年 | 4月 | 国際連盟解散 |

新渡戸稲造(にとべいなぞう)
（1862～1933）

連盟設立時、事務局次長に。日本が脱退を決めた1933年10月、71歳の生涯を終える。彼が発足に尽力した知的協力委員会の機能は戦後、ユネスコに引き継がれた

## ウィルソン米大統領の提案

「集団安全保障」を実現させるための国際組織の構想は、第一次世界大戦中、アメリカを中心に活発に議論されたようです。その成果として**アメリカ大統領ウィルソン**は、1918年に「戦後国際組織の設立」を含む「十四ヵ条の平和原則」を発表します。

それをもとに様々な議論が進められ、1920年1月10日、世界初の大規模な国際組織「国際連盟」が産声をあげました。

## アメリカ、ソヴィエト、ドイツ非加盟で船出

国際連盟という挑戦は最初から前途多難なものでした。連盟を集団安全保障のカギとして機能させるには、できるだけ多くの国が加盟していることが望ましいですが、あろうことかウィルソンの祖国**アメリカが非加盟**を選択します。

連盟発足時の加盟国数は42ヵ国。理事会の常任理事国に指定されたのは、イギリス・フランス・日本・イタリアの4ヵ国でした。大戦の敗戦国ドイツや、社会主義革命を進めるソヴィエト政権、そしてアメリカといった大国が不在な状態での不安定な船出でした。

## 常任理事国の日本が満州事変を起こす

「総会や理事会が原則として全会一致制であった（ために合意に至りにくかった）」ことや「加盟国が武力制裁に極めて消極的であった」ことが連盟の「弱点」として挙げられることがありますが、それでも連盟は複数の国際紛争を解決に導き、経済、労働、難民、女性の地位向上といった様々な分野で実績を積み重ねていきました。

しかし、すぐに連盟は難しい局面に立たされます。**常任理事国・日本が引き起こした「満州事変」**です。満州国を認めない連盟の決議を不服とした日本は連盟を脱退。続いてドイツ・イタリアも脱退した連盟に、二度目の大戦を止める力は残されていませんでした。

# 第二次大戦の戦勝国が主導する「国際連合」

## 敗戦国・日本の加盟は1956年に実現、現在はほぼすべての国が加盟している

### 国際連合の加盟国の推移

1945年　51ヵ国
⇩
1960年　99ヵ国
（植民地支配から独立したアフリカ各国が加盟）
⇩
1980年　154ヵ国
⇩
1994年　185ヵ国
（ソ連崩壊後、東欧諸国が加盟）
⇩
2023年　193ヵ国

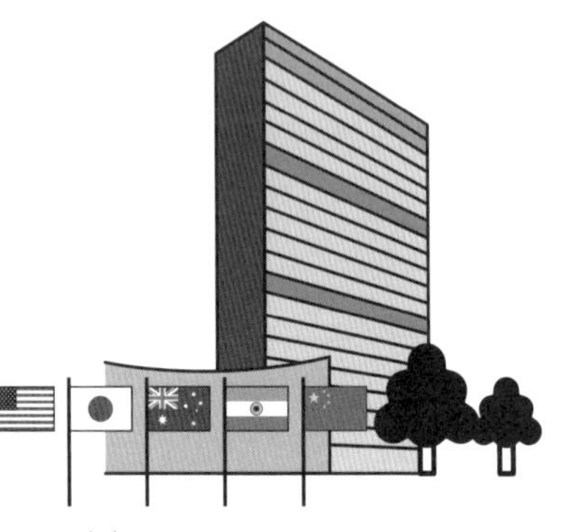
本部はアメリカのニューヨーク

国際連合旗

北極を中心とした正距方位図法の世界地図を、平和の象徴であるオリーブの枝で囲んだもの

## 1945年発足時の加盟国は51ヵ国

第二次世界大戦の勝敗が見えてきた1943年末、イランのテヘランで開かれた会議において、英米ソの代表が国際連盟に代わる新しい国際組織の創設に合意します。これを受けて、国際連合憲章の草案の作成が始まり、45年10月、現在の**「国際連合」**が発足しました。発足時の加盟国は51ヵ国、本部はニューヨークに置かれました。

大戦の敗戦国であった**日本は、1956年にソ連との国交を回復したのち、80番目の国として加盟**しました。現在、国連には193ヵ国が加盟しています。日本が国家として認めている国家で、国連に加盟していない国はバチカン、ニウエ、クック、コソボの4ヵ国だけです。

現在の国連は、世界のほとんどの国が参加している国際機構だと言えるでしょう。

## 70年経った今も平和維持のための活動を続けている

後に詳しく扱いますが、国連において「拒否権」という大きな力を持つ安全保障理事会の常任理事国は、当初、アメリカ、ソ連、中華民国、ドイツ、フランスの5ヵ国でした。すべて**「連合国」と呼ばれた第二次世界大戦の戦勝国**です。

このうち、中華民国（台湾政府）の権利は、1971年に国連代表権と共に中華人民共和国に移行させられました。国連は現在でも台湾の加盟を認めていません。また、ソ連は1991年に崩壊しましたが、その際、ロシアが国連にソ連の地位を引き継ぐことを通知し、今もなお常任理事国の一席を守り続けています。

「国際の平和及び安全の維持」「諸国間の友好関係の発展」「経済的、社会的、文化的または人道的性質を有する国際問題の解決」「人権の尊重の促進」といった重要な目的を果たすべく、様々な批判を受けながらも、国際連合は現在も活動を続けています。

# 全加盟国が一国一票を持って集まる「総会」

## 総会の決議は大きな意味を持つが、加盟国に何かを強制することはできない

### 国際連合の主要機関

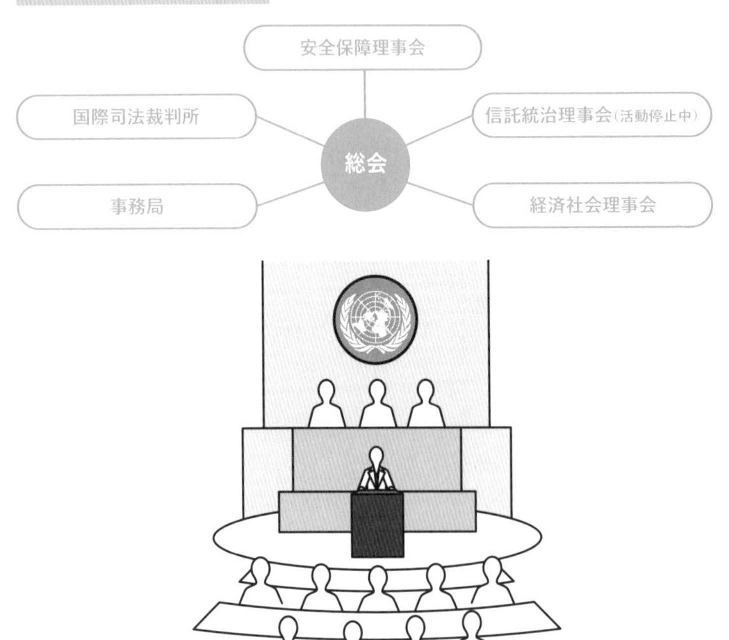


総会は国連に加盟する193の国と地域が
それぞれ一国一票をもって参加。決議に法的拘束力はない

## 国連の６つの主要機関のひとつ

国際連合は、大小様々な機関や計画、基金によって構成されています。まずは「主要機関」と呼ばれる６つの機関について、順に見ていきましょう。

**193の加盟国が「一国一票」をもって臨むのが「総会」**です。通常総会は毎年９月の第３週に開かれますが、その他に「特別総会」や「緊急特別総会」が招集されることもあります。

総会が扱う議題の多くは、「軍縮と国際安全保障」を担当する第１委員会、「経済」を担当する第２委員会といった、６つの主要委員会での審議をへた後、本会議に持ちこまれます。

本会議での採択は、一般的には投票国の過半数の賛成、一部の重要議題については投票国の３分の２以上の賛成をもって成立します。

## 最重要案件は安保理が決める

国際社会において、総会の決定は無視できない重みを持ちます。とはいえ、**総会の決定はあくまで「勧告」にとどまり、法的拘束力、すなわち強制力は持っていません**。

本当に重要なことは、全加盟国が一票をもつ総会ではなく、後述する「安全保障理事会」、そのなかでもとくに「拒否権」を持つ五大国が決める、というのが国連の構造です。

途上国の貿易や投資に関係する問題に取り組む「国連貿易開発会議（UNCTAD）」や、SDGsの達成に向けて重要な役割を果たす「国連環境計画（UNEP）」、緒方貞子氏が弁務官を務めていたことで知られる「国連難民高等弁務官事務所（UNHCR）」や「国連児童基金（UNICEF）」といった機関は、**総会を補助する機関**と位置づけられています。

# 国連の実質的な中枢「安全保障理事会」

## 常任理事国(米・英・露・仏・中)は1国のみで議案を否決することが可能

### 安全保障理事会

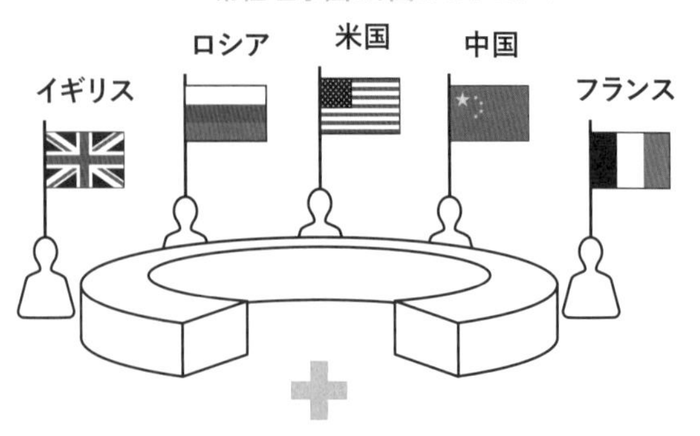


非常任理事国10ヵ国(任期2年・毎年半数改造) ※2024年

- アルジェリア(アフリカ)
- モザンビーク(アフリカ)
- シエラレオナ(アフリカ)
- マルタ(EU)
- スイス
- スロベニア(中東欧)
- 韓国
- 日本
- ガイアナ(南米)
- エクアドル(南米)

非常任理事国は全加盟国の秘密投票で選出される

## 非常任理事国は10ヵ国、任期2年

国連の主要機関のなかで、世界の平和と安全に主要な責任を持つとされているのが**「安全保障理事会（安保理）」**です。総会を含む国連の全機関のなかで**加盟国に義務を課すことができる唯一の機関**です。

安保理は中国、フランス、ロシア、イギリス、アメリカの５つの常任理事国と、総会によって選ばれる10の非常任理事国で構成されています。非常任理事国の任期は２年です。

決議は15の理事国のうち９ヵ国の賛成で成立しますが、このとき、常任理事国が１国でも反対すると、その決議は否決されます。これが**「拒否権」**と呼ばれる、常任理事国に認められた強力な権限です。そして、頻繁に安保理を機能不全に陥れる「癌」でもあります。

## 常任理事国が持つ「拒否権」の強力さ

「拒否権」によって安保理が機能不全に陥った場合、1950年に総会が採択した**「平和のための結集」決議**に基づき、総会は平和と安全を回復するための集団的措置を求める勧告をすることができます。ただ、勧告はやはり勧告に過ぎず、法的拘束力は持ちません。

2022年２月、ウクライナに侵攻したロシアを非難する決議に対してロシアが拒否権を行使した際も、上記の措置で決議は総会に持ちこまれ、193ヵ国中144ヵ国の賛成多数で可決されました。しかし、ロシアの侵攻を止めるには至りませんでした。

そもそも国連憲章27条には**「紛争当事国は、投票を棄権しなければならない」**と記されており、なぜロシアが拒否権を行使できたのかも疑問です。

いずれにせよ、「国際の平和と安全に主要な責任を持つ」存在としての安保理への信頼を、いっそう揺るがせる出来事になりました。

# 経済社会理事会・国際司法裁判所・事務局

## 安保理の勧告に基づき総会が任命する事務総長の任期は5年、再選制限なし

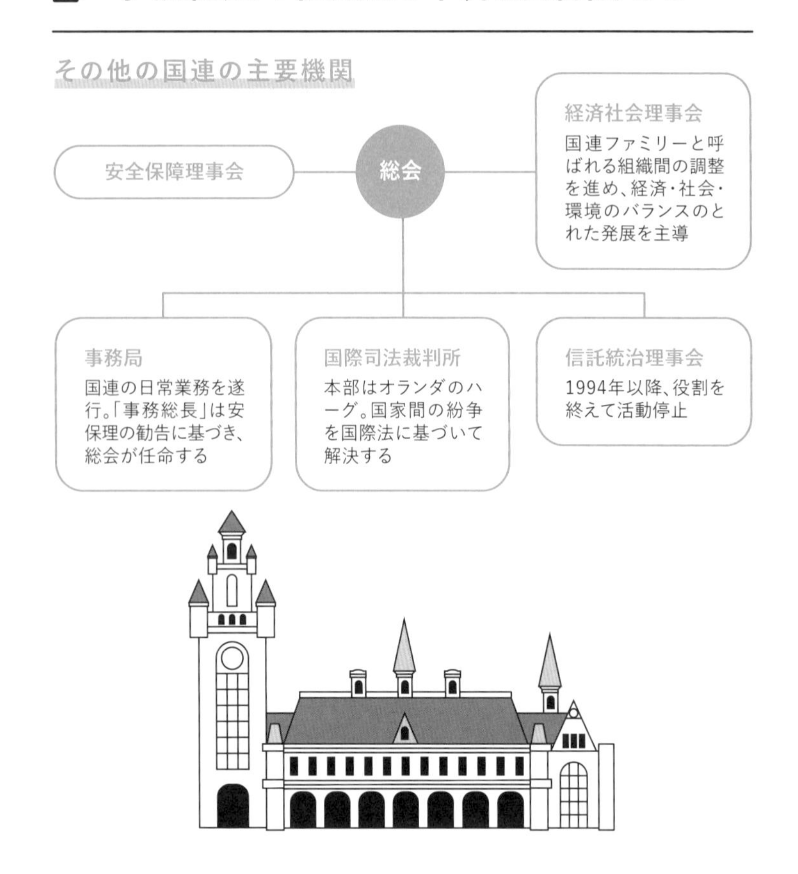

## 経済社会理事会

補助機関やNGO、そして専門機関と呼ばれる15の機関と連携しながら、経済、社会、環境のバランスのとれた開発を進めるために設けられているのが「経済社会理事会」です。

代表的な専門機関については、次項で詳しく扱います。

## 国際司法裁判所（ICJ）

**オランダのハーグ**におかれ、15名の裁判官で構成される機関です、「国家間の紛争を国際法に従って解決する」「正式に認められた国連機関や専門機関に対して法律問題について勧告的意見を与える」という２つの役割を担っています。

ICJの判決は法的拘束力を持ちますが、**事前に関係当事国が紛争の解決をICJに委ねることに同意している必要があります**。つまり、ある国が紛争の解決をICJに委ねようとしても、別の当事国がそれを拒否する限り、ICJは動くことができません。

一例として、日本国政府は竹島の領有権に関する紛争の解決をICJに委ねることを何度か提案していますが、韓国政府はこれを拒否し続けています。

## 事務局

多岐にわたる国連の日常要務を遂行します。４万人を超える職員を束ねる**事務総長は、安保理の勧告に基づいて総会が任命**します。伝統として、事務総長は安保理の常任理事国からは選ばれません。

## 信託統治理事会

非独立地域の施政を監督し、その地域の独立を支援するために設置されました。1994年、最後の信託統治地域であったパラオの独立にともない、**実質的な活動を停止**しました。

# 国連と正式に連携して活動する15の専門機関

## 専門機関はそれぞれ独立した自治機関で経済社会理事会と連携して活動する

### 専門機関

| 機関名 | 分野 |
|---|---|
| 国連教育科学文化機関(UNESCO) | 教育<br>科学<br>文化<br>情報・コミュニケーション |
| 国際通貨基金(IMF) | 国際通貨制度 |
| 世界知的所有権機関(WIPO) | 知的財産権 |
| 国連食糧農業機関(FAO) | 食料安全保障<br>農業 |
| 国際農業開発機関(IFAD) | 食料安全保障<br>農業 |
| 国連工業開発機関(UNIDO) | 工業<br>持続可能な開発 |
| 世界銀行グループ(World Bank Group) | 開発資金 |
| 国際民間航空機関(ICAO) | 航空<br>テロ対策<br>気候変動 |
| 国際労働機関(ILO) | 労働 |
| 国際海事機関(IMO) | 海事<br>海洋<br>テロ対策<br>気候変動 |
| 国際電気通信連合(ITU) | 電気通信　ICT |
| 万国郵便連合(UPU) | 郵便 |
| 世界観光機関(UNWTO) | 観光 |
| 世界保健機関(WHO) | 保健・医療 |
| 世界気象機関(WMO) | 気象 |

出典:独立行政法人国際協力機構

## 15の専門機関がある

先にふれた「国連高等難民弁務官事務所（UNHCR）」や「国連児童基金（UNICEF）」は、総会の補助機関、下部組織にあたります。

これに対し、政府間の協定によって設立された独立した自治機関で、経済社会理事会と正式な連携協定を締結して活動する機関を**「専門機関」**と呼びます。そのうちのいくつかを見てみましょう。

## 国連教育科学文化機関（UNESCO）

ユネスコは、**教育・科学・文化**をグローバルに発展させ、異なる背景を持つ人びと同士のコミュニケーションを可能にするための活動を進める組織です。自然遺産や文化遺産といった、**各種世界遺産の保護**もユネスコの仕事のひとつです。

SDGsの4「すべての人びとに包摂的かつ公平で質の高い教育を提供し、生涯学習の機会を促進する」の達成において、中心的な役割を果たすことが期待されています。

## 世界保健機関（WHO）

**グローバルな保健問題**についてリーダーシップを発揮し、健康に関する規範や基準の設定、政策選択肢の明確化、加盟国への技術的支援などを進める機関です。

もっとも有名な功績としては、1980年に宣言された**「天然痘」の撲滅**が挙げられます。同じく撲滅対象に設定されているポリオは、いまだ撲滅宣言こそなされていないものの、ワクチンの開発・普及により、1988年以来、発症数は99.9%減少したと言われています。

COVID-19のパンデミックが始まりかけていた2019年には、中国がヒトからヒトへの感染可能性を否定するなか、その可能性があるという台湾の報告をWHOが無視したとして、アメリカがWHOを非難する展開もありました。

# 国連と密接な関係にある国際機関

## 原子力の平和利用を進めるIAEAや自由貿易を推進するWTOなど

### 関連機関

|  |  |
|---|---|
| 包括的核実験禁止条約機関準備委員会(CTBTO) | 包括的核実験禁止条約の発効・運用の準備を進める |
| 国際原子力機関(IAEA) | 原子力の平和利用の促進と監視を行う |
| 国際刑事裁判所(ICC) | 国際社会に影響を及ぼす重大な罪を犯した個人を裁く |
| 国際移住機関(IOM) | 世界的な移住問題を専門に扱う |
| 国際海底機構(ISA) | 公海の深海底における活動を管理する |
| 国連海洋法裁判所(ITLOS) | 国連海洋法条約に関係する紛争を解決する |
| 化学兵器禁止機関(OPCW) | 化学兵器の開発などの禁止や廃棄を目的とする |
| 世界貿易機関(WTO) | 国際的な貿易を円滑に進め、自由貿易を促進する |

## 国際移住機関、化学兵器禁止機関なども

専門機関のように国連と正式な連携協定を締結してはいないものの、国連と密接な関係を持ちながら活動している機関を**「関連機関」**と呼びます。ここでは、そのうちの2つについて簡単に解説します。

## 国際原子力機関（IAEA）

**原子力の平和的利用の促進と、軍事利用の防止**を目的として1957年にアメリカ主導で設立された組織です。

核拡散防止条約（NPT）の締約国の原子力関連施設を訪れ、**核物質が軍事転用されていないかどうか確認する査察**を実施しています。

ちなみに、核兵器の保有が強く疑われているイスラエルは、NPTの締約国ではないため、IAEAの査察を受けていない状態です。イスラエル政府は核保有について、肯定も否定もしていません。

また、2021年にはイランがIAEAによる核査察の一部を拒否し、ニュースとなりました。ゆっくりとではありますが、核兵器保有国は増加しているのが現状です。

## 世界貿易機関（WTO）

詳しくはp.97に書きましたが、保護貿易が大戦の一因となった反省を踏まえて、**自由貿易の促進を主な目的として1948年に生まれた「関税及び貿易に関する一般協定**（GATT）」の締約国団を、機関として発展解消させるかたちで1995年に設立されたのがWTOです。

国際的な取引や貿易に関するルールを定めて運用することや、紛争が生じたときに解決する役割が期待されています。

ただ、**160を超える加盟国間の対立も多く**、機能不全とそれに伴う改革の必要性が叫ばれている機関でもあります。

# PKOの主な目的は停戦後の平和維持

## 自衛隊も1992年のカンボジア派遣以降、世界各地の平和維持活動に貢献

2023年時点で活動中のPKO

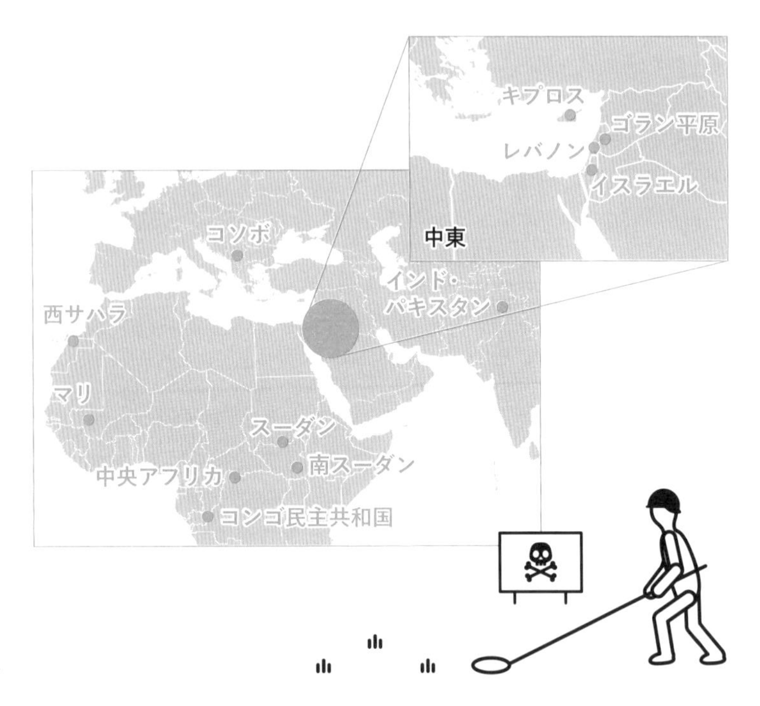


PKOの活動は地雷撤去やインフラの復旧など多岐にわたる

## 「国連軍」の実態

連盟が第二次大戦の勃発を防げなかった一因として、「武力制裁を実施することができなかった」という点が挙げられます。この反省から、国連憲章は、安保理に**「国際の平和及び安全の維持又は回復に必要な空軍、海軍又は陸軍の行動をとる」権利**を認めています。

とはいえ、安保理の常任理事国は拒否権を持つため、実際にはすべての常任理事国を敵にまわさないかぎり、国連軍は組織されません。

かつて、1950年に発生した朝鮮戦争において、一度だけ「国連軍」が組織されてはいるのですが、当時、ソ連が安保理において欠席を続けていたことや、指揮権が国連ではなく米軍にあったことなどから、国連憲章が意図している国連軍とは言いがたいものでした。

2022年のロシアによるウクライナ侵攻は、いくら国連が「集団安全保障」を唱えようが、他国による侵略に耐えるには、自前の軍事力や同盟関係、地域の軍事機構に頼らざるを得ないという現実を、世界中にあらためて知らしめることとなりました。

## 軍事行動とは別にPKOは世界中で展開

上記のような直接的な軍事行動とは別に、国連は世界中の紛争地域において平和を実現・維持するため、**停戦や軍の撤退の監視、兵士の社会復帰や選挙の実施といった様々な活動**に携わっています。

これらの**「平和維持活動（PKO）」**と呼ばれる取り組みは、現在でもコソボやシリア、南スーダンなど、10を超える地域で展開されています。

国連は自前の軍を持たないため、PKOの任に就く軍事要員は加盟国から派遣されます。日本の自衛隊も、1992年に**「PKO協力法」**が成立して以来、カンボジアやモザンビーク、東ティモールなど、各地の平和維持活動に貢献してきました。

# 2030年を期限とする国際目標・SDGs

## 合言葉は「誰一人取り残さない」、持続可能でよりよい世界の実現を目指す

SDGs（Sustainable Development Goals）の17の目標

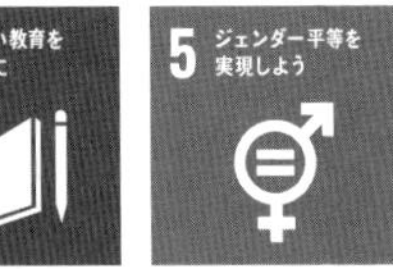

17の目標に対して、169のターゲット（具体目標）が設定されている

## 「持続可能な開発」とは

日常生活のなかで頻繁に耳にすることも多い「SDGs（持続可能な開発目標）」は、2015年に実施された国連サミットが全会一致で採択した文書「持続可能な開発のための2030アジェンダ」に記載された国際目標です。

2015年までの目標として、2001年に策定された「ミレニアム開発目標（MDGs）」を継承するかたちで成立したもので、「誰一人取り残さない（leave no one behind）」をスローガンにしています。

そもそも「持続可能な開発」とは、**未来の世代を犠牲にすることなく、現在の欲求を満たす開発を進めながら、あらゆる場所のあらゆる人の生活の改善を目指そう**という概念、思想です。

1980年代後半に提唱され、1992年にブラジルのリオで実施された「国連環境開発会議（地球サミット）」にて重視されました。

## 飢餓ゼロ、ジェンダー平等、廃棄物削減など

SDGsはこの思想を実現させるための**17の目標**と、そこからさらに**具体化された169のターゲット**から成ります。169のターゲットには、それぞれの達成度をはかるための指標まで設定されています。

17の目標の１は「あらゆる場所のあらゆる形態の貧困を終わらせる」、２は「飢餓を終わらせ、食料安全保障及び栄養改善を実現し、持続可能な農業を促進する」となっていて、これだけでも従来の環境保護運動とは一線を画す、非常にスケールの大きな概念であることがわかります。

日本でも省庁や企業、NGOなどを巻き込む大きなムーヴメントになっていますが、単なるパフォーマンスとならないかどうかは、私たち１人ひとりの意識と行動にかかっていると言えそうです。

# 止まらない気候変動、地球「沸騰」の段階に

## 世界の平均気温は今世紀末に工業化前に比べて5℃以上上がる予測も

### 世界の平均気温の推移（1891年～2023年）

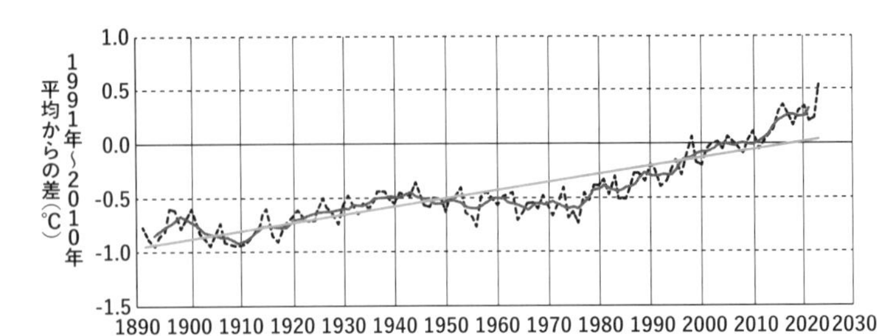


出典：気象庁

▶ 世界の二酸化炭素排出量ランキング（2020年）

| 順位 | 国名 | 排出量（100万トン） | 割合（%） |
|---|---|---|---|
| 1 | 中国 | 10,081 | 32.1 |
| 2 | アメリカ合衆国 | 4,258 | 13.6 |
| 3 | インド | 2,075 | 6.6 |
| 4 | ロシア | 1,552 | 4.9 |
| 5 | 日本 | 990 | 3.2 |

出典：全国地球温暖化防止活動推進センター

## 大気中の二酸化炭素濃度が約40%増えている

主に産業革命以降、人類が石炭や石油といった化石燃料を大量に燃やしてきた結果として、大気中の二酸化炭素濃度が約40%増え、これが地球温暖化と、それに伴う様々な気候変動を引き起こしていると考えられています。

国際的な専門家が集まる「気候変動に関する政府間パネル（ICPP）」の2021年の報告書によると、世界の平均気温は2011～2020年で1.09℃上昇しており、このペースでいくと、**今世紀末までに3.3～5.7℃上昇**するという予測もあるようです。

2023年７月の記者会見で、国連のグテレス事務総長は、「地球温暖化の時代は終わり、地球沸騰の時代が到来した」と警告しました。

## 干ばつや洪水、伝染病の拡大…

気候変動は、地球上の生態系や人類の生活にとって、**すでに大きな脅威**となっています。気温の上昇は砂漠化や干ばつ、飲み水や生活用水の不足をもたらしますし、局地的な豪雨の発生は洪水などの被害を引き起こします。

気温や湿度の変化が植物の生態系を変えると、それを餌にしている動物たちの生態系も連鎖的に変化していきます。蚊の生息域の拡大は伝染病の拡大につながりますし、海水温の上昇は、漁業の対象となる魚の生態や居場所も変化させています。

氷河の融解や海水の膨張がもたらす海水面の上昇も問題です。近年では、海面が上昇する海と、氷河が融解しつつあるヒマラヤ山脈に挟まれた**バングラデシュ**が、水害で報道される機会が増えています。

ガンジス川を含む３つの大河川の下流に、１億6000万人以上の人びとが密集して暮らしているこの国は、いつ多数の難民が発生してもおかしくない厳しい状況におかれています。

# 途上国の参加も求める「パリ協定」とは

## すべての国で協力して、気温上昇幅を産業革命前に比べ2℃以内に抑える

### 京都議定書とパリ協定

| | 京都議定書<br> | パリ協定<br> |
|---|---|---|
| 締結 | 1997年のCOP3にて採択。2005年に発効 | 2015年のCOP21にて採択。2016年に発効 |
| 主な目標 | $CO_2$などの温室効果ガスの排出量を2020年までの間に、1990年比で約5.2%削減 | 世界の平均気温の上昇を産業革命前の世界比で2℃未満、できれば1.5℃以内に抑えられるよう努力 |
| 目標の扱い | 国別・地域別に排出削減量が決定されている | 各国が5年ごとに貢献目標を作成し、国際的な審査を受ける |
| 対象国 | 先進国のみ | 途上国を含めたすべての国 |

パリ協定は、温室効果ガスの排出量と吸収量を調整する「カーボンニュートラル」の考え方をより前面に押し出している

## 気候変動枠組条約締約国会議（COP）

1992年に開かれた「国連環境開発会議（地球サミット）」で採択された「気候変動枠組条約」に基づき、1995年から毎年開催されているのが「気候変動枠組条約締約国会議（COP／コップ）」です。二酸化炭素などの**温室効果ガスの排出量削減を主な目的とする会議**です。

地球温暖化に代表される環境問題の多くは、すでに工業化を済ませている**先進国と開発途上国の対立（南北問題）**などにより、国際的な合意形成が難しい傾向にあります。

そのなかで、ようやくひとつの合意にたどり着いたのが、1997年のCOP3でした。ここで採択された「京都議定書」の内容は「温室効果ガスを2008年から2012年の間に、1990年比で約５％削減すること」。

世界で初めて、各国に具体的な削減義務が課せられたという意味で画期的な一歩でしたが、中国やインドといった当時の途上国に削減義務はなく、これを不服としてアメリカが離脱するなどしたため、課題を多く残すものとなりました。

## 2015年の「パリ協定」は多数の国の参加を優先

そのあとの調整が難航を極めるなか、2015年のCOP21で新たに採択されたのが**「パリ協定」**です。条約に参加する**全196ヵ国の合意形成を優先**し、内容は「具体的な削減目標は各国が決める」「達成自体は義務としない」など、非常に「ゆるい」ものになっています。

アメリカのトランプ政権は、このゆるい条約すら不服とし、パリ協定からの離脱を決定しましたが、続くバイデン政権は2021年２月に「正式復帰」を発表しました。

**二酸化炭素排出量ランキングの１位と２位を占める中国とアメリカ**の協力なしでは、地球温暖化の解決はほぼ不可能な状況です。

# 資源や地勢を活かした各国の発電事情

## フランスは原子力、カナダは水力、ドイツは太陽光・風力の割合が高い

主要国の電源別発電電力量の割合（2021年）

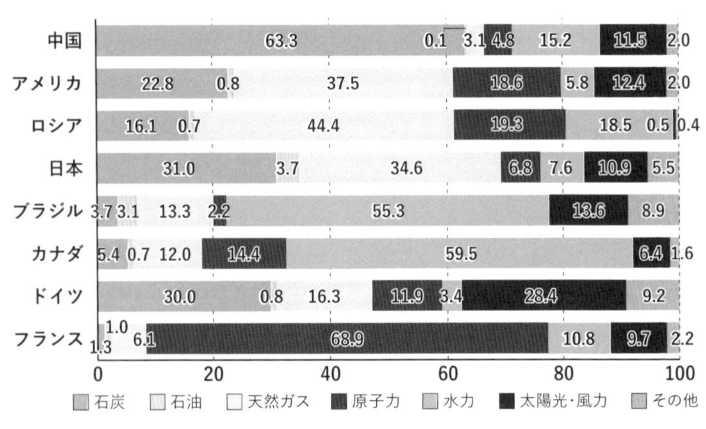

大型の滝がある地域では水力発電がさかん（北米のナイアガラの滝）

ドイツは2023年に原子力発電を全廃したが、隣国フランスは化石燃料への依存度を下げるために原発が不可欠との立場

出典：日本原子力文化財団

## その国の持つ資源や地理上の特性で発電方法も変わる

生活や産業を支える重要なエネルギーである「電気」を生み出す方法にも、国ごとの特徴が大きく現れます。

**化石燃料を豊富に持つアメリカやロシア**は、火力を中心に、水力、原子力を組み合わせてバランスをとっています。同じくバランス型の中国の火力発電は、二酸化炭素排出量が多い石炭火力がメインです。

ただ、ここ10年で風力発電を中心に再生可能エネルギーの導入を進め、火力発電の割合を減らしてきているのも事実です。

**カナダやブラジルは水力発電の割合が多い**のが特徴です。カナダのナイアガラの滝やブラジルのイグアスの滝に象徴される、大河と起伏の激しい地形の存在がこれを可能にしています。

**フランス**はエネルギー自給率が極端に低い国で、中東やアメリカに依存しない地位を手に入れるべく、**原子力発電**の割合を増やしました。地震が少なく、付近に原発を建設できるだけの豊富な水量を持つ河川があるといった、地理上の特性も生かされています。

## 日本は火力発電の割合が高い

一方で、**再生可能エネルギー**比率を上げることに邁進しているのが**ドイツ**です。現在、発電に占める再エネの割合は４割近く、政府はこれを2050年に80％まで引き上げる方針のようです。

**日本**は東日本大震災の直後、全国の原発を停止させたため、一時的に**火力発電の割合が80％**を超えました。

とはいえ、日本は火力発電の燃料のほとんどを輸入に頼っています。ウクライナ危機のあおりを受けて、火力発電の主要な燃料である天然ガスの価格が高騰するなか、再エネや原子力発電の拡大など、決断・実行しなければならないことが山積しています。

# 枯渇しない・どこにでもある・$CO_2$を増やさない

## 太陽光、風力、水力、地熱など。穀物や木材など生物由来のバイオマスも

### 代表的な再生可能エネルギー

**水力**

水車を介して
発電機のタービンを回す

**太陽光**

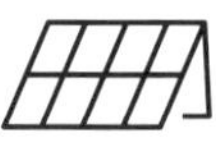

シリコン半導体を使用して太陽の
光エネルギーを電気エネルギーに変換

**風力**

プロペラを介して
発電機のタービンを回す

**地熱**

マグマによって熱せられた水蒸気を
利用して発電などを行う

**太陽熱**

集熱器を使い、
給湯や暖房、発電を行う

**バイオマス**

穀物や木材など、化石燃料以外の
生物由来のエネルギー源

## 原子力発電は事故が起きると被害甚大

人類が二酸化炭素の排出量を削減する「脱炭素」を進めながら、なお「持続可能な開発」を続けるには、石油・石炭・天然ガスといった化石燃料の代わりとなるエネルギー源が必要です。

原子力はエネルギー効率が非常によく、かつ、二酸化炭素を放出しませんが、事故を起こしたときの被害が甚大であり、こちらも中長期的には削減すべきと考えている人が少なくありません。

そこで期待されるのが、**「再生可能エネルギー」**と呼ばれるエネルギーです。

再生可能エネルギーとは、**「枯渇しない」「どこにでも存在する」「二酸化炭素を増加させない」**という3つの共通点を持つエネルギーの総称で、具体的には、太陽光や風力、地熱、水力、バイオマスといったエネルギーを指します。

## バイオマスは賛否両論

**バイオマス**は、家畜の排せつ物や生ごみ、廃材などの木材や穀物など、化石燃料を除く生物由来のエネルギーの総称です。

燃やすと当然二酸化炭素を排出しますが、これらの多くは植物由来で、成長する際に光合成で二酸化炭素を吸っていることから、全体としては**「カーボンニュートラル」**を達成しているとみなし、再生可能エネルギーのひとつに分類されます。

ただ、バイオマスに利用するサトウキビやトウモロコシなどを育てるために森林が伐採されているといった事実もあり、バイオマスを再生可能エネルギーに含めることに否定的な声もあるようです。

また、飢餓に苦しむ人が8億人を超える世界で、食用に回せる資源をエネルギーに変えることの是非も議論されるところです。

# 世界各地で進む再エネへの投資

## 風力や太陽光は天候に左右されるなど課題はあるが、脱炭素の流れはとまらず

### 主要な再エネのメリット・デメリット

| | メリット | デメリット |
|---|---|---|
| 風力発電 | 枯渇しない<br>発電時に$CO_2$を出さない | 従来の発電方式に比べ、広い面積が必要<br>天候や季節の影響を受けやすい<br>風車が回る際の騒音 |
| 太陽光発電 | 枯渇しない<br>発電時に$CO_2$を出さない | 従来の発電方式に比べ、広い面積が必要<br>夜間は発電できない<br>天候の影響を受けやすい<br>太陽光パネルが景観に与える影響や処分コスト |
| 地熱発電 | 枯渇しない<br>発電時に$CO_2$を出さない<br>天候に左右されない | 地盤沈下や温泉の枯渇を引き起こす可能性<br>周囲が国立公園などに指定されているといった理由で建設が制限されることがある |

デンマークは再エネ割合が50%を超えているが、日本はいまだ20%超で、化石燃料による火力発電が70%

## 風力発電は世界でも発電量が多い

水力を除いた再生可能エネルギーによる発電のなかで、世界でもっとも大きい割合を占めているのは**風力発電**です。

一定の強さの風が安定して吹く場所が要求される風力発電は、中国やアメリカ、インドといった**広大な陸地と長大な海岸線を有する国**に向いています。とくに中国では、政府が再生可能エネルギーに対する積極的な投資を進めており、2022年６月には、2025年までに電力の３分の１を再生可能エネルギーでまかなう方針が示されました。

風力の次に発電量が多いのが、**太陽光発電**です。こちらの発電量は中国・アメリカに、日本やインド、ドイツが続いています。太陽の光を鏡などで１ヵ所に集めて高温を発生させる、**太陽熱発電**というものもあり、低緯度の乾燥した地域でさかんに行われています。

日本では2012年に、一定期間、太陽光などで発電した電力を電力会社に国が決めた価格で買い取らせる、FITと呼ばれる制度が導入され、太陽光発電の普及が進みました。

その反面、近年では**大規模なメガソーラーによる景観の悪化**や、劣化した太陽光パネルの廃棄問題など、課題にも注目が集まるようになっています。

## 洋上風力発電や地熱発電

国全体のエネルギーに占める再エネの割合を見ると、デンマークやリトアニア、ドイツ、イギリスなど、ヨーロッパの国々が上位を占めます。北海では**洋上風力発電**の開発が進んでいるようです。

アフリカのケニアでは**地熱発電**がさかんです。南米のニカラグアやウルグアイといった国々も再エネの拡大に成功しています。再エネには様々な課題があるとはいえ、発電において100％脱炭素を達成する国が登場するのは、もはや時間の問題のようです。

## COLUMN

### 「増えるプラスチックごみ」

国際的な環境問題のひとつに「ごみ問題」があります。

プラスチックごみに限っても、年間1000万トン超の量が海洋に流入しており、近年ではとくに5㎜以下の「マイクロプラスチック」と呼ばれる微細なプラスチック粒子の海洋流出が問題視されています。

マイクロプラスチックは、分解されにくいうえに回収も難しく、海流に乗って世界中の海に広がっていきます。ウミガメやクジラなどの海洋生物が口に入れて寿命を縮めることがあるのはもちろん、プラスチックに含まれる有害な化学物質が、食物連鎖をへて人間に影響を及ぼす可能性も指摘されています。

ごみは、再利用や処理を請け負う他国（多くの場合途上国）の業者に輸出されることで国境を越えます。国際的なごみ問題への対応は、2023年の時点で189ヵ国が批准している「バーゼル条約」を中心に進められています。

この条約は、有害廃棄物の国境を越える移動や処分の規制に関する条約で、2019年に、輸出規制の対象に「（有害ではないが）汚れたプラスチックごみ」が加えられることが決まりました。

それに先立ち、2017年に中国政府が使用済みプラスチック等の輸入を禁止する方針を発表したこともあって、日本でもレジ袋の有料化やホテルのアメニティの代替素材への切り替えなどが進みました。

プラスチック製品が世界にあふれているのは、それが便利で安価だからです。貧困層が多いアフリカ諸国では、水や食物、洗剤といった生活必需品を大容量で購入できない人びとの生活を、プラスチックの袋で小分けにされた安価な製品が支えています。

そういった人びとの生活を考慮して、ごみ問題に取り組むことが、ごみを国外に輸出しながら発展してきた先進国に求められています。

# PART 4

# ヨーロッパのキホン

EUの旗の下に統合を目指す欧州の国々では、
社会保障や環境対策、移民の受け入れなどを巡り、
人びとの間に分断が広がっています。
後半では、ウクライナ危機を含む、
ロシアと周辺国の紛争の歴史にふれます。

# 世界大戦の反省から生まれたEUの歴史

## 資源の共同管理から始まり、27ヵ国が加盟する共同体へ

### 欧州6か国による統合の動き

1952年
**ヨーロッパ石炭鉄鋼共同体**
石炭と鉄鋼を共同管理することで加盟国の平和維持と経済発展を図る

1958年
**ヨーロッパ経済共同体**
加盟国の経済面での統合を目指す

1958年
**ヨーロッパ原子力共同体**
米ソに対抗し、協力して原子力の開発を進める

1967年
**ヨーロッパ共同体(EC)**
3つの組織が統合され、途中、イギリスなどが加盟し、80年代には12ヵ国体制となる。

1993年
**ヨーロッパ連合(EU)**
ソ連の消滅やドイツの統合などを踏まえECを発展的に解消させる形で成立した。東ヨーロッパ諸国の加入も進み、2024年現在、27か国が加盟している。

1999年
共通通貨ユーロ導入 2024年現在、20か国が利用

2020年
イギリス、EUを離脱

## 一体化した市場から共同体へ

二度の世界大戦を経験したヨーロッパでは、戦後、**統合に向けた動き**が加速します。まずは1950年、ドイツとフランスの国境付近にあり、両国の紛争の火種になることが多かった、ルール地方とザール地方の石炭や鉄鉱石を、周辺の6ヵ国で共同管理する「ヨーロッパ石炭鉄鋼共同体（ECSC）」が発足します。

57年には、その6ヵ国の市場の一体化を目指す「ヨーロッパ経済共同体（EEC）」と、原子力の共同開発と管理を進める「ヨーロッパ原子力共同体（EUROTOM）」が誕生。67年にこの三者は統合され、「ヨーロッパ共同体（EC）」となりました。

85年には、締結国間を行き来する際のパスポートチェックを不要とする「シェンゲン協定」が成立します。当初5ヵ国だった締結国は、2024年6月現在、29ヵ国まで増えました。

93年に、経済面だけでなく政治や安全保障面での統合を進めることを目的とした「マーストリヒト条約」が発効すると、これをもとに、現在の**「ヨーロッパ連合（EU）」**が発足します。

2002年には、当時の15の加盟国のうち、12ヵ国が自国の通貨を停止して共通通貨**「ユーロ」**を採用しました。

## 統合の歩みにブレーキ

2004年、旧ソ連の国々を中心とする10ヵ国がEUに加盟すると、EU域内の経済格差が広がります。負担増を懸念するフランスとオランダでは、EU憲法の批准が国民投票で拒否され、政治的な統合にブレーキがかかりました。

2010年代に入ると、北アフリカやシリアなどの難民・移民の増加がきっかけのひとつとなり、イギリスが**EU離脱**を決定。ヨーロッパ統合の歩みは依然として険しいようです。

# 経済競争の切り札 EUの共通通貨 ユーロ

## 巨大経済圏ができるも課題は山積、未導入のEU加盟国もある

### ユーロを導入している国々

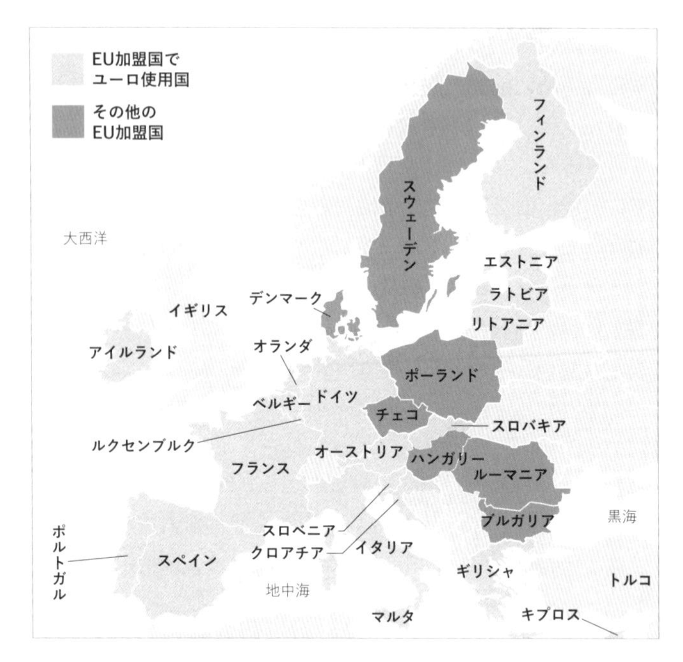

2024年の時点でEU加盟国は27。そのうち20カ国が共通通貨ユーロを使用している

## 通貨統一のメリット・デメリット

EU域内において関税の撤廃や人の行き来の自由化を進めても、各加盟国が異なる通貨を使っていては、アメリカや日本との経済競争に勝てません。そこで導入されたのが共通通貨「ユーロ」でした。

通貨の統合には**巨大な経済圏を生み出す**メリットがありますが、デメリットもいくつかあります。

ひとつは**金融政策**の問題です。通常、景気が悪くなると、皆がお金を使いやすくするために金利は下げられ、景気が良くなるとバブルにならないよう金利は上げられます。ユーロの金利は各国共通ですので、景気の良い国にとっては低すぎ、悪い国にとっては高すぎるという状況が生まれます。

**財政政策**にも制約が出ます。日本は国債の発行量、すなわち借金が非常に多い国ですが、通貨発行権も持っているため、やるかどうかはさておき、円の発行によって借金を返すことが論理的には可能です。しかし、共通通貨は一国だけでは発行できないため、借金増が財政破綻につながるまでのスピードが速いといえます。

## ユーロ安で得する加盟国も

**外国為替市場**においても偏りが出ます。いずれかの加盟国の財政悪化が報じられると、ユーロの価値は下がります。ユーロ安は「輸出に有利」ですので、自動車の輸出などがさかんなドイツなどは潤いますが、輸出産業が弱い国にとっては「輸入に不利」という面がのしかかり、**域内での経済格差**がさらに広がります。

2023年にクロアチアがユーロを導入したことで、ユーロ加盟国は20ヵ国となりました。一方、ポーランドやスウェーデン、デンマークといった国々はユーロ導入を見送ったまま現在に至ります。

# 立憲君主制を確立した連合王国 イギリス

## 「国王は君臨すれども統治せず」英国王は15の国の元首を兼任する

世界の主な英連邦加盟国

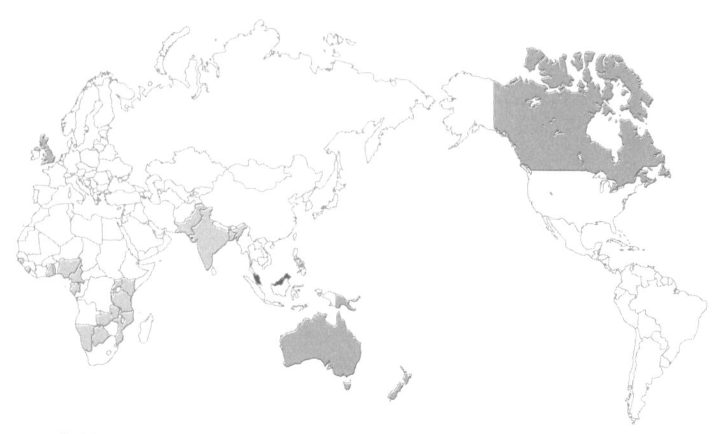

英連邦王国
英連邦のうち、イギリスの君主を自国の君主・元首として戴く国々

現在は共和制を敷く国々

独自の君主制を敷く国々

英連邦王国を含む、かつての大英帝国を構成した地域の国々によるゆるやかな政治連合。56の国が加盟しているが、政治体制はさまざま

## 現在の国王はチャールズ３世

イギリスの正式名称は**「グレートブリテン島及び北アイルランド連合王国」**です。「イギリス」という日本語の語源は、ポルトガル人がイングランドを指して使っていた「Inglez」という言葉だそうです。

グレートブリテン島とアイルランド島（の北側）をはじめとする約6200の島々からなる島国で、イングランド、スコットランド、ウェールズ、北アイルランドの４つの国（country）の連合体です。

議会制民主主義発祥の地であるイギリスには、首相とは別に、元首を務める**「国王」**がいます。2022年、70年にわたって女王を務めたエリザベス２世が亡くなり、新国王としてチャールズ３世が即位したのは記憶に新しいところです。

イギリス国王は、かつて植民地であったオーストラリアやカナダなど、「英連邦」と呼ばれる56ヵ国の国家連合の首長でもあり、うち15ヵ国（「英連邦王国」）では国家元首も務めています。

## 国民の不満はEU離脱を求める声に

第二次世界大戦後、イギリスでは国民を**「ゆりかごから墓場まで」**サポートする社会保障制度の充実や、各種産業の国有化が進み、徐々に国際競争力を失っていきました。「英国病」と呼ばれたこの状態を打破するため、1979年に首相となった**サッチャー**は「新自由主義」の思想に基づき、水道や電気などの民営化や規制緩和を進めます。

それでも失業率や賃金はなかなか改善しなかったのですが、80年代に入ると「北海油田」が一時的にイギリス経済を救います。ただ、こちらも2000年頃から生産量が低下し始め、現在では北海における洋上風力発電など、新エネ開発が進められているようです。

不景気などに対する国民の不満の一部は、やがて**「EU離脱を求める声」**に転化し、大きな盛り上がりを見せるようになりました。

# イギリスのEU離脱「ブレグジット」の原因

## EU離脱の是非を問う国民投票は52:48の僅差で離脱賛成派が勝利した

賛成・反対それぞれの主張

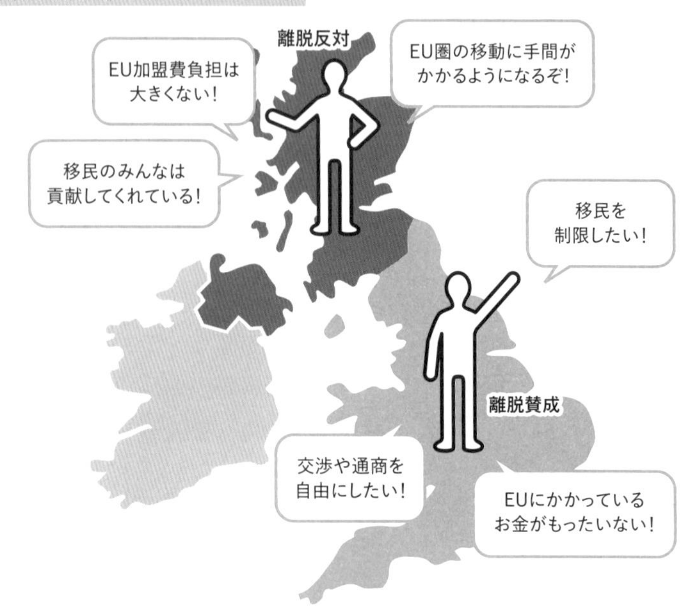


2016年の国民投票において、
離脱反対派（残留派）はスコットランドや北アイルランド、
ロンドン周辺などの都市部に多く、
離脱賛成派は都市部を除く南部に多かった

## 大陸と距離をとる島国

もともと島国イギリスには、フランスやドイツといった大陸の国々と**一定の距離をとる**傾向がありました。世界中の旧植民地とのネットワークがイギリス経済を支えていました。

やがてECの前身であるEECの経済成長に後れをとるようになると、60年代に重い腰を上げてEECへの加盟を申請しますが、加盟には至りませんでした。その理由のひとつとして、フランスのド・ゴールが、イギリスを経由してアメリカがEECに影響を及ぼしてくるのを嫌ったのではないかという話が伝えられています。

結局、イギリスの加盟は、ド・ゴールが亡くなり、EECがECに発展したあと、73年に実現します。

## 計算外だった離脱賛成派の勝利

ECに加盟したとはいえ、**自国の主権の維持**にこだわるイギリスは、共通通貨ユーロを導入せず、参加国間のパスポートチェックなしでの出入国を保証するシェンゲン協定にも参加しませんでした。

2011年、**「アラブの春」**を経験した北アフリカやシリアの難民がEU域内に押し寄せると、EU離脱を求める声が大きくなります。

2016年、当時のキャメロン首相は、離脱派の声を抑えるために国民投票を実施しますが、多くの人の予想を裏切って**離脱賛成派が多数を占めた**ため、イギリスのEU離脱が決まってしまいます。

イギリスに続いて離脱する国が増えるのを避けたいEUとの交渉は難航しましたが、2021年1月、移行期間をへてイギリスは正式にEUから離脱することとなりました。イギリスのEU離脱は、「Britain」と「exit」を組み合わせて**「Brexit（ブレグジット）」**と呼ばれています。

アメリカや日本、EU諸国などと個別にFTA（p.98）を締結できたこともあって、離脱の瞬間、大きな混乱は起きませんでした。ただ、隣国アイルランドとの関係で解決すべき課題が発生していました。

# 連合王国のまとまりを欠きつつあるイギリス

## 紛争が繰り返された北アイルランド、独立を望む住民が多いスコットランド

### 英国内にくすぶる2つの火種

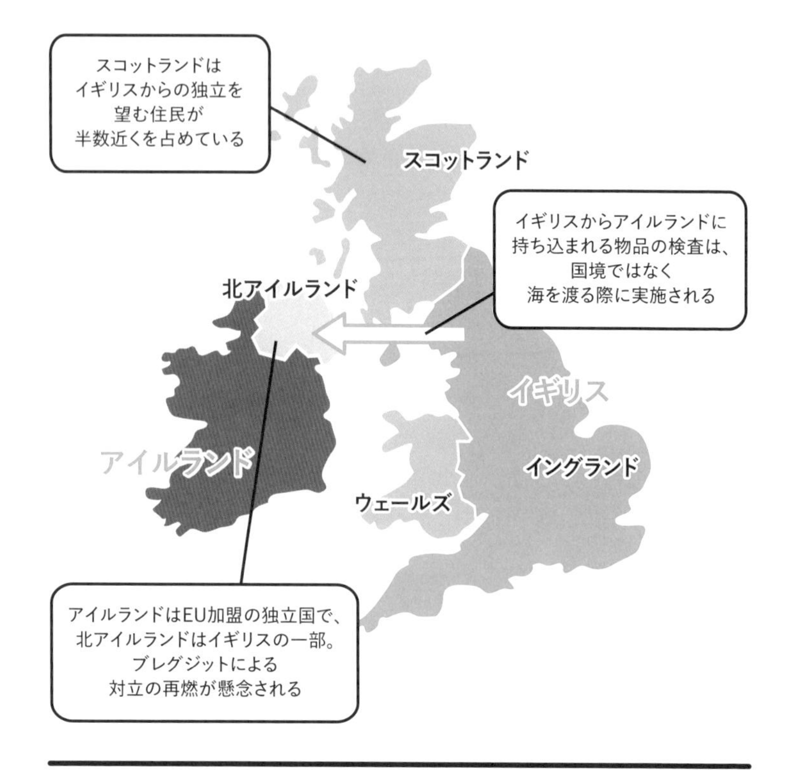

## インググランドとアイルランドの対立

アイルランドはもともと**カトリック教徒の多い**地域でしたが、16世紀に入ると、イングランドからの**プロテスタントの流入**が本格化します。17世紀にはピューリタン革命によって権力を握ったクロムウェルが、残虐なやり方でアイルランドの植民地化を進めました。

武装蜂起と弾圧が繰り返されるなか、1922年にカトリック教徒の多い南側が**「アイルランド自由国」**として独立し、その後、英国王を元首としない「共和国」としての歩みを始めました。

イギリスに残された北アイルランドを巡っては「北アイルランド紛争（The Troubles）」と呼ばれる対立が続き、複数の武装勢力による断続的な衝突のなかで、3500もの人命が失われたとの報道もあります。

ただ、73年にイギリスとアイルランドがともにECに加盟すると、国境の持つ意味が薄れ対立は徐々に沈静化していきました。98年には紛争の終結を宣言する**「ベルファスト合意」**が成立しました。

## EU離脱の影響は最小限に

イギリスのEU離脱（ブレグジット）は、この対立を再燃させる危険をはらんでいました。イギリスは、北アイルランドを一定の範囲内でEUとして扱い、アイルランド島内での分断を避ける議定書を成立させ、これをEUも受け入れました。

主にイギリスからEU域内であるアイルランドに持ち込まれる物品の検査を、物品がアイルランド島内にある陸地の国境を越えるときではなく、グレートブリテン島からアイルランド島に**持ち込まれる際**に実施することにしたのです。

イギリスにおいてはスコットランドでも、独立を望む声が多数存在しています。2024年７月の総選挙で14年ぶりの政権交代を果たした労働党のスターマー政権は、外交や経済対策はもちろん、イギリスというまとまりを維持するだけでも大変な状況に置かれています。

# 経済改革に成功するも移民流入に悩むドイツ

## シュレーダー政権が進めた経済改革はメルケル政権のもとで成果を上げた

### ドイツの歴代政権

**コール政権**
（1982～1998）
冷戦終結に伴い東西ドイツの統一を実現。ユーロの導入にも尽力したが、国内で経済不振が続いた。

**シュレーダー政権**
（1998～2005）
「アゲンダ2010」という構造改革で経済復活の基礎を築くが、社会保障の切り詰めによって人気は低迷した。

**メルケル政権**
（2005～2021）
二大政党の大連立と経済復興を成し遂げ、ユーロ危機、ウクライナ危機、新型コロナなどの危機と向き合い続けた。

**ショルツ政権**
（2021～）
三党連立政権を率いる実務派。移民の受け入れの賛否やロシアによるウクライナ侵攻の対応など難問続き。

## 統一後も停滞が続いたドイツ経済

1989年、東西ドイツの分裂の象徴であった**「ベルリンの壁」**が崩壊すると、翌90年、社会主義国であった東ドイツが、資本主義国であった西ドイツに吸収されるかたちで、ドイツ再統一が実現しました。

しかし、旧東ドイツの生産性の低さがドイツ全体の経済の足を引っ張ります。人件費の高さや充実した社会保障制度などもあいまって経済は停滞し、**「欧州の病人」**と呼ばれる状態になりました。

このドイツ経済を立て直したのが、1998年に、前任のコールに代わって首相の座についた**シュレーダー**氏でした。プーチン大統領と親しく、2022年のウクライナ危機において、ロシア国営企業の役員として高額の報酬を得ながら親露発言を繰り返したシュレーダー氏ですが、首相在任時は国民の反対を抑えつつ、経済改革を進めました。

## 輸出好調でEUの旗手に

シュレーダー氏が進めた国民の痛みを伴う改革は、2005年に**メルケル**氏が首相になったあと、成果を上げ始めます。ギリシャ危機などがもたらしたユーロ安は、ドイツの**自動車などの輸出**において有利にはたらき、ドイツはEU・ユーロの中心的存在になっていきました。

メルケル氏の政治で注目されるのは、やはり**難民の受け入れ**でしょう。2015年、シリアとイラク、アフガニスタンの情勢が一気に悪化し、その年だけで100万人を超える難民がドイツにたどり着きました。

人道を重視するメルケル氏に共感した国民の多くは、ボランティアとして難民支援にあたりました。その反面、難民の受け入れに反対する右翼政党も勢力を拡大しました。

メルケル氏は**16年にわたって首相を務め**、2021年の年末に退任しました。メルケル氏に代わって首相に就任したショルツ氏は、三政党による連立内閣を率いています。2024年に入ると、ドイツでは政治家の襲撃事件が立て続けに発生しました。メルケル氏引退後のドイツのかじ取りもなかなか難しそうです。

# 大規模な反政府デモが繰り返されるフランス

## 右派政党の躍進を支えるのは国際協調や環境を重視する政策への反発か

### 近年でも勃発するデモ

**2018〜2019年**

燃料税の引き上げをきっかけに「黄色いベスト」をシンボルとした大規模なデモが長期にわたって続いた。

**2023年3月**

年金受給年齢の引き上げをきっかけに大規模なデモが発生した。年金改革に反対するデモは定期的に起こっている。

**2023年6月**

アルジェリア系移民2世の少年が検問中の警察官に射殺されたのをきっかけに、放火や略奪を伴う抗議デモが頻発した。

## 難しい安定的な政権運営

2022年４月のフランス大統領選挙で、**マクロン大統領**が、右派・国民連合を率いるルペン氏との決選投票を制し、再選を決めました。

ドイツのメルケル氏が引退し、イギリスの離脱やウクライナ戦争に揺れるEUにおいて、マクロン氏のリーダーシップに期待する声は少なくありませんでした。しかし、続く６月に行われた下院選で、マクロン氏率いる与党連合は過半数を割ってしまい、国内で法案を成立させるのも一苦労という状態に追い込まれました。

## 風物詩となりつつある大規模デモ

フランスでは2018年の年末から19年にかけて、**「黄色いベスト運動」**と呼ばれる大規模な反政府デモが頻発しました。

ガソリンやディーゼル燃料の価格が高騰するなか、地球温暖化対策をひとつの理由として、政権が燃料税の引き上げを進めたことが直接のきっかけとなりました。

自動車を運転する際に携行を義務づけられている「黄色いベスト」がシンボルとなった抗議活動において、一部の参加者が暴徒化し、略奪や放火、死者まで発生する事態となりました。

2023年に入っても、マクロン政権の年金改革に反対するデモは続きました。６月には、アルジェリア人とモロッコ人の血を引く17歳の少年が交通検問中の警官に射殺されたことをきっかけに、デモや暴動が頻発しました。数日で5000台以上の自動車が燃やされ、1000棟の建物が損壊したとの報道もあります。

24年６月、欧州議会選挙で、ルペン氏率いる**右派政党**「国民連合」が圧勝したのを受け、マクロン大統領は下院の解散を決めました。生活苦のなか、国際協調や環境を重視する政策に反発する人びとの声が、右派台頭の一因となっているようです。

# 多民族国家スペインが抱える地方の独立問題

## バルセロナがあるカタルーニャ地方ではとくに独立を希望する声が大きい

スペインを構成する州と自治都市

スペインは17の自治州と2つの自治都市(セウタ、メリージャ)で構成される。一般的に「スペイン語」と呼ばれる「カスティージャ/カスティーリャ語」のほかに「カタルーニャ語」「バスク語」「ガリシア語」といった複数の言語が公用語として認められている。

## 「エル・クラシコ」が持つ意味

17の自治州で構成される多民族国家・スペインのなかにも、独立を志向する地域がいくつかあります。

そのなかでもとくに有名なのは、建築家ガウディやチェロ奏者カザルスなどを輩出したことで知られる、**カタルーニャ地方**です。

スペインの原型は、12世紀にカタルーニャの女王が隣国アラゴンの国王と結婚し、15世紀に隣国カスティーリャの国王がアラゴン国王を兼ねるかたちで成立しました。

その後のスペインの集権化がカスティーリャ主導で進められたことや、1939年から75年まで権力を握ったフランコがカタルーニャを抑圧したことなどもあって、カタルーニャ地方では、今でもスペインからの独立を願う声が少なくありません。

直近では2017年に独立の賛否を問う住民投票が実施されており、有効投票の**90%以上が独立に賛成する**結果となりました。これに対しスペイン政府は、州の自治権の一部停止や州の首相の罷免などを進め、カタルーニャ独立に断固反対する構えを見せました。

カタルーニャのサッカーチーム・FCバルセロナと、首都を本拠地とするレアル・マドリードの試合は、政治的な対立もはらんだ「**エル・クラシコ（伝統の一戦）**」として、毎回注目を集めています。

## 名画のモデルとなったバスク地方

バスク地方も独立を願う住民が一定数存在する地域です。スペインは1936年から39年にかけて、ソ連の後押しを受けた人民戦線政府と、ドイツとイタリアの後押しを受けた軍部による**大規模な内戦**を経験しました。

その際、軍のフランコの要請を受けたナチス・ドイツによる空爆で多くの死者を出したことで知られるのが、バスクの都市・ゲルニカです。スペインの画家・ピカソの大作『**ゲルニカ**』は、この悲劇を題材に描かれた作品です。

# EUを巻き込んだ財政難 ギリシャ危機

## 2009年の政権交代で財政赤字が表面化 共通通貨の弊害が浮き彫りに

### 財政危機の経緯

なんだこの借金は!?

**カラマンリス政権**
(2004～2009)
GDPにおける借金の割合を少なく発表…

**パパンドレウ政権**
(2009～2011)
前政権時代までの莫大な借金が発覚！

EU

ユーロを使うEU加盟国全体の危機になる!!

IMF

支援する代わりに緊縮財政を！

**チプラス政権**
(2015～2019)
反緊縮を訴えるも、結局は継続。2018年の支援プログラム終了後に退陣

## 迫るデフォルト

第二次世界大戦後、政情が不安定な状態が続いたギリシャでは、クーデターを起こした軍部が政権を握った後、1975年から共和制に移行し、民主化が進みました。81年にはEUの前身であるECに加盟し、2001年にはユーロを導入しました。

もとより、ギリシャの財政状況は良好ではありませんでした。歳出に占める**公務員の人件費率の高さ**や、**充実した社会保障制度**、**脱税の横行**などが理由として挙げられます。

ただ、2009年に政権交代が起こると、GDPに占める借金の割合について、旧政権が発表していた５％という数字がウソで、**実際は13%を超えていた**ことが明らかになり、ギリシャ国債は暴落、国家財政の破綻（デフォルト）が現実味を帯びてきました。

## 緊縮を受け入れたギリシャ

この危機は、ユーロはもちろん、財政不安を抱えるポルトガルやアイルランド、スペインなど、当時PIIGSと呼ばれた国々の国債まで下落させるものでした。**世界恐慌レベルの危機**ということで、ドイツを中心とするEU諸国やIMFが大幅な融資を実施しました。

しかし、EUやIMFによる融資には、その後の緊縮がセットでついてきます。これにギリシャ国民は耐えつつも反発。2015年には反緊縮を訴える極左政権が誕生しました。ただ、その政権は、国民投票で反緊縮票が６割を超えたものの、結果的には緊縮を継続。2018年に一連の支援プログラムは完了し、**危機は回避**されました。

2022年８月にはEUの政策執行機関である欧州委員会が、ギリシャ財政の監視強化体制を延期しないことを表明し、ギリシャの財政再建自体は一定の成果を上げていることが明らかになりました。

# 最も安全な紛争地域 地中海のキプロス

## ギリシャ系住民、トルコ系住民を それぞれの国が支援する

キプロス島を巡る対立

## 2つに分かれる小さな島

日本の報道で話題に上がることは少ないですが、地中海の東側に浮かぶ島・**キプロス**も、帰属を巡る問題が発生している地域です。

16世紀からオスマン帝国の支配下に置かれたキプロスは、第一次世界大戦後、イギリスの植民地となります。第二次世界大戦後、島民の８割を占めるギリシャ系住民がギリシャとの統合を希望して立ち上がり、統合は認められなかったものの、1960年、キプロスは「**キプロス共和国**」として独立を果たしました。

しかし、ギリシャとの合併をあきらめない強硬派は74年にクーデターを起こします。これを受けて、残り２割のトルコ系住民の保護を名目に、トルコ軍がキプロスに侵攻。島の北部を占領し、1983年に一方的に「**北キプロス・トルコ共和国**」の独立を宣言しました。現在、北キプロスを国家として承認しているのはトルコのみです。

## 地中海に渦巻く各国の思惑

現在でも紛争状態にあるとされるキプロスですが、1996年以降、死者が発生する武力衝突は発生していません。

約120万人の島民は比較的自由に南北を移動することが可能です。ただし、海外からの入国者の移動は厳しく制限されるため、観光で訪れる際には注意が必要です。

現在「**最も安全な紛争地域**」といわれるキプロスは、海を挟んで**トルコ、シリア、イスラエル、エジプトといった国々と隣接する地理的な要衝**であるだけでなく、現在も**イギリス軍の基地が残されている**ことや、周辺海域で天然ガス田が発見されたこと、紛争が続くパレスチナに近いことなどもからんで、周辺国家における注目度が高い地域となっています。

# 社会主義国から分裂 旧ユーゴスラヴィア

## 独自の連邦を形成したティトーの死後、内戦と分離独立が続いた

### 分離独立後の旧ユーゴ

ティトーの死後、ユーゴスラヴィアは内戦状態を経て複数の国家に分離独立した。セルビアの自治州のひとつだったコソボは2008年に独立を宣言したものの、セルビアはもちろん、NATOを警戒するロシアが独立を承認していないため、国連に加盟できずにいる。

## 第二次大戦後の混迷

第一次世界大戦後、セルビア人を中心として形成された「ユーゴスラヴィア王国」は、第二次世界大戦が始まると、ドイツを中心とした枢軸国の支配下に置かれました。しかし、ティトー率いる**「パルチザン」**と呼ばれる軍が抵抗を続け、ソ連の力を借りずに枢軸国を追い出すことに成功します。

戦後、ティトーは、**20前後の民族を抱える**ユーゴスラヴィアを、ソ連と距離をおく独自の社会主義連邦共和国としてまとめました。

しかし、ティトーが亡くなると連邦は内戦に突入します。冷戦下の世界で、東西のどちらにもつかない状態を維持するためにティトーが採った**「全人民武装」**政策が、国民同士の殺し合いを容易にさせたという見方もあります。

## NATOによる「人道的介入」

1991年、**スロヴェニア**と**クロアチア**、そして**マケドニア**（現在の北マケドニア）が独立します。独立に賛成するクロアチア人と、反対するセルビア人の紛争は95年まで続きました。

ボスニア・ヘルツェゴビナの独立を巡っては、同地域内に混在していたボスニア人・クロアチア人・セルビア人の間で、やはり内戦が始まります。こちらの紛争は、NATO軍が「人道的介入」としてセルビアを攻撃したことで、いったんの終結を見ました。

アルバニア系住民が多い**コソボ**の独立に際しても、NATOはセルビアに「人道的介入」を実施しました。現在、日本を含め100以上の国がコソボを国として承認していますが、NATOを警戒するロシアが承認していないため、国連加盟は実現していません。

かつて**「ヨーロッパの火薬庫」**と呼ばれたバルカン半島は、ロシアとNATOの狭間で、今もなお緊張感のある地域となっています。

# 繰り返される軍事衝突 ナゴルノ・カラバフ

## 民族や宗教などがからんだ領土問題を制しつつあるアゼルバイジャン

第二次ナゴルノ・カラバフ紛争(2020年)

## ソ連崩壊で紛争が激化

クルディスタンの北方、黒海とカスピ海の間に横たわるカフカス（コーカサス）山脈付近も、多くの民族が交錯し、紛争が絶えない地域です。ここでは主に山脈の南に位置する**「ナゴルノ・カラバフ」**を巡る長い紛争について扱います（チェチェンやジョージアを巡る紛争についてはp.175参照）。

ここはアゼルバイジャンのなかに位置しながら、隣国のアルメニア人住民が多く住む地域で、両国の係争地となってきました。

**アゼルバイジャン人の多くはシーア派のムスリム**で、**アルメニア人の多くはキリスト教徒**です。また、アゼルバイジャン語がトルコ語に近いのに対し、アルメニア語はインド＝ヨーロッパ語族に分類される独立した言語だそうです。

両国ともソ連邦を構成する国家でしたが、1988年頃から対立が激しくなり、1991年のソ連崩壊と前後して戦闘は数万人規模の死者を出すまでに激化します。やがて、ナゴルノ・カラバフは、国際的には**アゼルバイジャンに帰属**しますが、実質的には**アルメニア人住民が自治**を行う自治州となりました（第一次ナゴルノ・カラバフ紛争）。

## 紛争はアゼルバイジャンの勝利に

しかし、紛争はその後も散発的に続きます。2020年秋には、数千人規模の死者を出す軍事衝突が発生しました。ドローンなどが積極的に使用される現代戦となったこの第二次ナゴルノ・カラバフ紛争は、**アゼルバイジャンの勝利**に終わりました。

このとき調停に入ったロシアは、この地域に平和維持軍を送りましたが、その後も紛争は断続的に続きました。結局、ロシアはアゼルバイジャンのナゴルノ・カラバフ統合に向けた動きを止められず、2024年４月に**平和維持軍の撤退**を決めました。

# 過酷な扱いを受けた放浪民族ロマ

## かつてジプシーと呼ばれた流浪の民は欧州各地に定住、現在も差別は続く

ロマが多く住むとされている地域

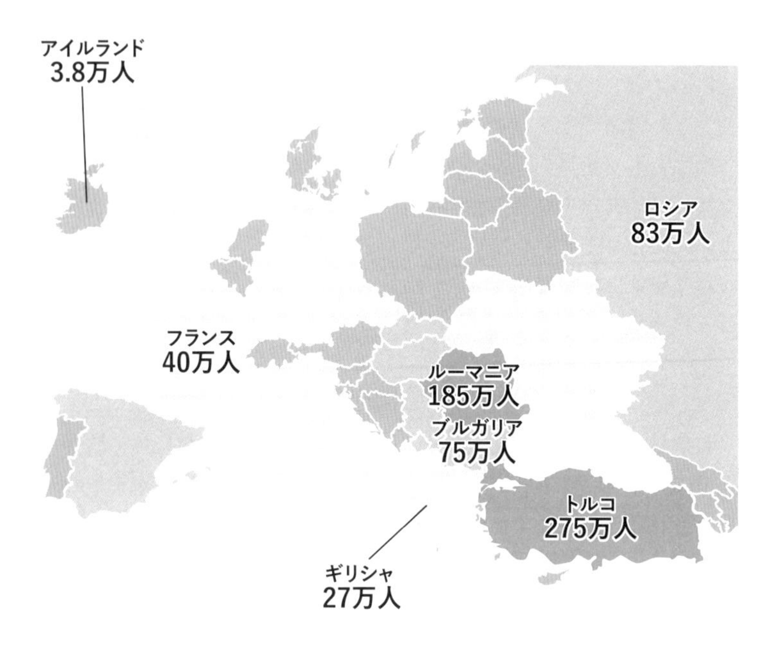


ロマが多く住むとされている国々(出典・欧州評議会の推定データ)。ただし、ロマ自身が出自を隠すこともあり、正確な人口の算出は困難。

## 「ジプシー」呼称の変遷

かつて、主にヨーロッパで放浪民族・**ジプシー**と呼ばれた人びとがいました。ジプシーという呼称が長い間、差別的な意味を込めて使われてきたことから、現在では**「ロマ」**と呼ぶのが通例になっています。ただ、かつてジプシーと呼ばれた人びとのなかには、「自分はロマには属さない」と考える人もいるようで、状況はなかなか複雑です。

もともとは北インドに住んでいたと考えられているロマは、8～10世紀頃、ヨーロッパに移動し、多くの国で奴隷や差別の対象として過酷な扱いを受けました。ナチスによる虐殺というとユダヤ人が真っ先に思い浮かびますが、ロマも遺伝的に劣った存在とされ、**数十万人規模の虐殺が行われた**ようです。

## コロナ禍でも苦境に立たされる

現在、ヨーロッパにおけるロマの人口は**1000万～1200万人程度**と考えられています。今なお続く差別のなかで、市民として登録されていない人や、自分がロマであることを公言しない人が少なくないため、正確な数はわかりません。

現在ではほとんどの人びとが定住化しているようですが、雇用・教育など様々な面で不利な立場におかれています。2021年に東欧のロマのコミュニティを取材したBBCは、ロマが集住しているところには電気や下水道が通っていないところもあり、新型コロナとの戦いが困難なだけでなく、周辺住民から感染の原因と見なされ非難されることもあると報道しました。

日本ではなかなか耳にすることのない、ロマに関する報道ですが、国際社会において厳しい状況におかれている集団として、知っておかねばならない存在だと感じます。

# 世界最大の面積を持つ資源大国 ロシア

## ウクライナ侵攻を巡る西側諸国からの経済制裁を豊富な資源で乗り越える

### 広大な領域を治めるプーチン大統領

ウラジーミル・プーチン
（1952〜）

KGB（ソ連国家保安委員会）出身。2000年からロシア連邦の大統領を務める。2008年に大統領職をメドヴェージェフ氏に譲るも、2012年の選挙で復帰。憲法改正を成功させ、理論上は2036年まで大統領職に就くことを可能とした。

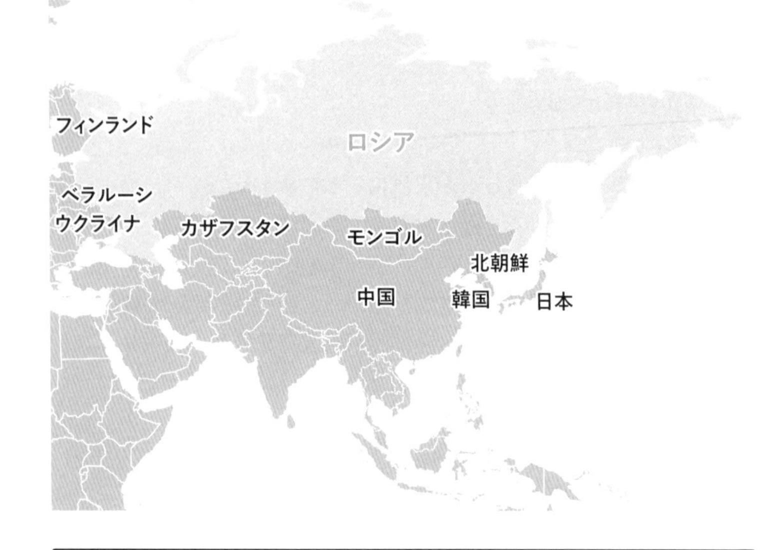

## 面積は日本の45倍！

ロシア連邦は、ユーラシア大陸北部に位置する共和制・連邦制の国です。**面積は約1700万㎢で世界最大**。日本の約45倍の広さで、東西に長いため、国内に11の標準時を持つことでも知られています。

一方、人口は約1億4500万人で、日本よりわずかに多い程度です。人口がそこまで増えないのは、やはり「寒さ」によるものでしょうか。

2023年のGDPは約2兆ドルで、これはブラジルやカナダと同程度の規模。2022年のウクライナ危機における各国からの経済制裁を受けて、経済的には苦しい状態が続きますが、**石油・石炭・天然ガスなどの資源が豊富である**という強みを生かして耐えています。

## 強大な大統領＝プーチンの権限

憲法は**三権分立**を規定しており、二院制の「連邦議会」と「連邦政府」、「裁判所」がそれぞれ存在します。

ただ、実際にはそれらから独立した**「大統領」の権限が非常に強く**、連邦政府の責任者にあたる「首相」も大統領が選びます。大統領や下院（国家院）議員は選挙で選ばれますが、いずれも、現職のプーチン大統領と、彼が率いる政党・**統一ロシア**が勝ち続けています。

連邦を構成する80を超える構成主体の半数以上は「州」ですが、それ以外にロシア人以外の民族を多く含む「共和国」が22あります。サハやチェチェンといったこれらの共和国には一定の自治権が認められていますが、**国際的にはあくまでロシアの一地域**です。

なお、2014年にウクライナから分離・独立した「クリミア共和国」のロシア編入については、**国際的な承認が得られているとは言いがたい**状況です。

# かつて東側諸国を構成した旧ソ連の国々

## 影響力を保持したいロシアと周辺国の紛争は今もなお続く

### 旧ソ連の国々

## ソ連の「盾」となった衛星国

1922年に誕生したソヴィエト社会主義共和国連邦は、ロシアやウクライナ、白ロシア（現在のベラルーシ）といった**15の共和国をソ連共産党が束ねる**という形式の国家でした。

やがて、ソ連の周辺にあったドイツ民主共和国（東ドイツ）やハンガリー、ポーランドといった国々にも共産主義政権が誕生します。これらの国々はソ連の**衛星国**と呼ばれ、冷戦下の世界において西側諸国と対立するソ連の重要な「盾」となりました。

1980年代後半、これらの衛星国で立て続けに革命が発生し、民主化が進みます。1990年には、ソ連を構成していたバルト三国が相次いで独立を宣言。さらにロシアとウクライナが、それぞれの共和国の主権が連邦の主権に優先すると宣言したことで、**ソ連の崩壊**は決定的なものとなりました。

## 繰り返されるロシアと周辺国の対立

国連の安全保障理事会の常任理事国の地位に代表される、ソ連が有していた数々の国際的な権利は、最大の共和国であったロシアが継承しました。

ソ連を構成していた共和国は、**独立国家共同体（CIS）**と呼ばれる連合体をつくりました。CISは現在も存在しますが、民族や領土を巡る数々の対立もあり、EUのような強い結びつきにはなっていません。

2008年には**南オセチア問題**をきっかけにジョージアが、そして2014年には**クリミア問題**をきっかけにウクライナが、それぞれCISからの脱退を表明しました（p.175）。

ロシアが周辺地域への影響力を強めようとするなか、ロシアと周辺地域の対立、および、周辺地域におけるロシアへの帰属を望む人びととロシアからの独立を望む人びとの対立は、今もなお数々の紛争を引き起こしています。

# 紛争の火種となった ロシアの南下政策

## 国内の港が冬に凍結するロシアは 不凍港を求めて南下を繰り返す

### ロシア周辺の紛争

**クリミア半島**
2014年、ロシアがロシア系住民の保護を名目に軍を展開し、住民投票をへて併合。黒海に面した不凍港・セヴァストーポリは、地政学的な要衝のひとつ。

ウクライナ

**チェチェン共和国**
独立を望む勢力とロシア軍の間で二度にわたる紛争が発生。独立は阻止されたが、紛争終結後も独立派によるテロが続く。

ロシア

黒海

ジョージア

**南オセチア・アブハジア**
独立を希望する勢力とジョージアとの衝突が続いてきた。2008年にはこの地域でジョージア軍とロシア軍が衝突し、同年、ロシアは両地域の独立を承認した。

## チェチェン紛争と南オセチア紛争

ロシアという国は全般的に寒冷で、北極海に面した港が冬に凍ることもあり、18世紀から**「南下政策」**と呼ばれる南方への領土拡張政策を繰り返してきました。現代でも、南部、とくに地中海につながる黒海周辺において複数の危機・紛争が発生しています。

ソ連崩壊の３年後、ロシア連邦からの分離・独立を目指す**チェチェン共和国**に対し、それを認めないロシアが軍を送りました。二度にわたる紛争は2009年にロシアの勝利で終わりましたが、今でも周辺ではテロへの警戒が必要な状況が続いています。

2008年にはジョージア（旧グルジア）とロシアの間で軍事衝突が発生しました。ロシア連邦に属する**「北オセチア」**との統合を望み、ジョージアからの分離・独立を志していた**「南オセチア自治州」**を、ジョージアが攻撃したのがきっかけでした。CISにも参加せず、NATO加盟を希望していたジョージアを警戒していたロシアは、この紛争に本格的に介入し、南オセチアの独立を承認しました。

## ウクライナ侵攻のきっかけ

そして、2014年にはウクライナとロシアの間で深刻な政治危機が発生しました。まずは２月、ウクライナの首都キーウ（キエフ）で大規模な市民運動が発生し、当時の親露政権が崩壊。代わって親欧米の野党が政権を握りました。この政変は、キーウにある独立広場の名をとって**「マイダン革命」**と呼ばれています。

これに対し、ロシア系住民が多いウクライナ南東部のクリミア地方で騒乱が発生。３月にはロシアへの編入を望むか否かの住民投票が実施され、圧倒的賛成多数という結果を受けて、ロシアはクリミアのウクライナからの独立を「承認」したうえで、**ロシア連邦に併合**しました。

ロシアの本格的な領土拡張政策に反発した西側の先進国は、ロシアを**G8サミットから排除**しました。この措置は現在も続いています。

# 2022年から始まった ウクライナ侵攻

## 親ロシア派住民の独立を承認し、保護を口実に領土拡張を狙う

### ウクライナと2つの共和国

### ロシアによるウクライナ侵攻の経緯

| | |
|---|---|
| 2014年4月 | ロシアのクリミア併合を受けて、ウクライナ東部のドネツク州・ルハンスク州の親ロシア勢力が蜂起。「ドネツク人民共和国」と「ルハンスク人民共和国」を宣言。 |
| 2015年2月 | 「ミンスク合意」に続き、ドイツ・フランスの調印により「ミンスク2」が調印されるが、ロシア・ウクライナ両国とも互いの不履行を非難する状態が続く。 |
| 2022年2月21日 | ロシア、「ドネツク人民共和国」と「ルハンスク人民共和国」を国家として承認。 |
| 2022年2月24日 | ロシア、ウクライナ東部での「特別軍事作戦」の実施を発表。首都キーウなどへのミサイル攻撃や空爆を開始。 |

## ロシア系住民を巡る対立

マイダン革命への抵抗運動は、クリミア同様、ロシア系住民が多いウクライナ東部でも発生しました。紛争をへて、新政権を認めない親ロシア派住民は**「ドネツク人民共和国」**と**「ルハンスク人民共和国」**を形成し、独立を宣言します。

この紛争を収めるため、2014年から2015年にかけて二度にわたって**「ミンスク議定書」**が締結されます。ミンスクは、会議が行われた隣国・ベラルーシの首都の名前です。この議定書には、ウクライナがドネツク・ルハンスクに「特別な地位（高度な自治権）」を与えることなどが含まれていました。

これが実現すると、ロシアによる両地域の連邦化まであとわずかということで、ウクライナ国内での反発は大きく、両国が互いに相手の不履行を指摘・非難し合う状態が続きました。

## 「特別な軍事作戦」を強行

そんななか、2022年２月21日、ロシアのプーチン大統領は「ドネツク人民共和国」と「ルハンスク人民共和国」の独立を承認する大統領令に署名します。そして同月24日、両地域の住民の保護を口実に「特別な軍事作戦」の実施を発表し、**ウクライナの首都キーウ（キエフ）などへのミサイル攻撃や空爆を始めました。**

これに対し、ウクライナのゼレンスキー大統領は、戦時体制の導入を宣言し徹底抗戦の構えを見せました。開戦から２年以上が経過した2024年６月現在、まだ終戦の目途は立っていない状態です。

**NATOの東方拡大**を警戒して開戦に踏み切ったロシアでしたが、皮肉なことにこの戦争は、フィンランドとスウェーデンが新たにNATOに加盟するきっかけとなってしまいました。

COLUMN

## 「イタリア初の女性首相」

ヨーロッパの他の先進国同様、イタリアもまた、財政不安や移民の増加といった課題と向き合っています。

イタリアでは、2022年10月、右派政党「イタリアの同胞」を率いるジョルジャ・メローニ氏が首相に就任しました。1977年生まれ、ローマ出身、イタリア初の女性首相の誕生でした。

15歳のときに極右政党の青年団に加入している経歴や、中絶や同性婚、移民の受け入れなどに反対する思想はインパクトが強く、当初はメローニ政権が極右政権となることを心配する声もありました。

ただ、首相就任後は、EUとの関係を重視し、ウクライナ危機に対しても、NATOとの協調路線を継続するなど、安定した政権運営を続けています。2024年6月の欧州議会選でも圧勝し、続いて実施されたG7サミットでも議長国の首相を務め、国際社会におけるメローニ氏の存在感は日増しに大きくなっています。

そんなメローニ首相が前向きに取り組んでいるとされるのが、「首相公選制」の導入です。

第二次世界大戦後、イタリアでは1946年に王政を続けるかどうかの国民投票が実施され、僅差で共和政支持が勝利し、王政は廃止されました。1920年代後半からムッソリーニが独裁を進めたことへの反省から、現在のイタリアの政治システムは権力の分散を徹底させています。

これによって「決められない政治」が定着したことが、イタリアの国益を損ねているとするのが、首相公選制推進派の意見です。

当然ながら、国民から直接選ばれた首相の権限は強くなることが想定されます。そのため、これが独裁者の復活につながるのではないかと反対する声もあり、今後のイタリアの動向が注目されます。

# PART 5 中東・アフリカのキホン

中東とアフリカは、
列強の植民地戦略や資源の存在により、
激しい対立や紛争が続けられてきた地域です。
パレスチナ危機をはじめとする数々の紛争は、
今も多くの人びとの命を奪っています。

# 西側諸国とロシアの間に位置するトルコ

## 権力の集中を進めるエルドアン大統領は2023年の選挙に勝ち、3期目に突入

### イスラム回帰を進めるエルドアン大統領

アヤソフィアを
博物館から
モスクに戻すぞ

世界遺産・アヤソフィア

フィンランドの
NATO加盟は
認めてやろう

ロシアと
ウクライナの
仲介役は任せろ

レジェップ・タイイップ・
エルドアン
（1954〜）

国内のクルド人
勢力には
容赦しないぞ

北キプロスの
分離独立を
支持する

## エルドアン氏の登場

第一次世界大戦後、現在のトルコ共和国を建国したムスタファ・ケマルは、**イスラーム教徒が９割を超える**トルコの政治に「世俗主義」を導入し、政教分離を徹底することで近代化を進めました。

その後、冷戦において西側についたトルコは、NATOの一員として、ソ連と国境を接する「最前線」となりました。

戦後のトルコでは、数回、クーデターが発生しています。ごく最近成功したクーデターは、1980年に、政治や経済の混乱、テロの増加を見て軍が出動し事態を収拾、数年後に民政に移管したものです。そんななか、2003年、**親イスラーム色が強い**ことで軍から警戒されていた公正発展党のエルドアン氏が首相に就任しました。

## 軍を牽制しつつ大国と渡り合う手腕

国民の支持を背景に、EU加盟の準備や軍の弱体化などを進めたエルドアン氏は、2014年に首相の任期が切れると**大統領に就任**。当時の大統領は元首として政治権力が制限されていましたが、自分の腹心を首相に就け、引き続き実権を行使しました。

2016年には軍のクーデターを未然に防ぎ、政敵の大規模な排除に成功。その後、国民投票で６割の賛成を得て、**議院内閣制から大統領制に移行**し、自らへの政治権力の集中を加速させました。

アメリカやロシアといった大国はもちろん、理由をつけてはトルコの加盟を渋るEU、国境を接するシリアから押し寄せる**300万人を超える難民**、**独立を望むクルド人**（p.182）、トルコ系住民とギリシャ系住民の分断がある**キプロス問題への対応**（p.162）など、タフな交渉や判断が求められるトルコのリーダーを務められる人物は希少です。

独裁化を批判されながらも、一定数の国民の支持を得て、エルドアン大統領のかじ取りは続きます。

# 国家を持たない最大の民族 クルド人

## 周辺諸国は独立を許さず、なかには日本で生活を営む人びとも

### クルド人が多く住む地域

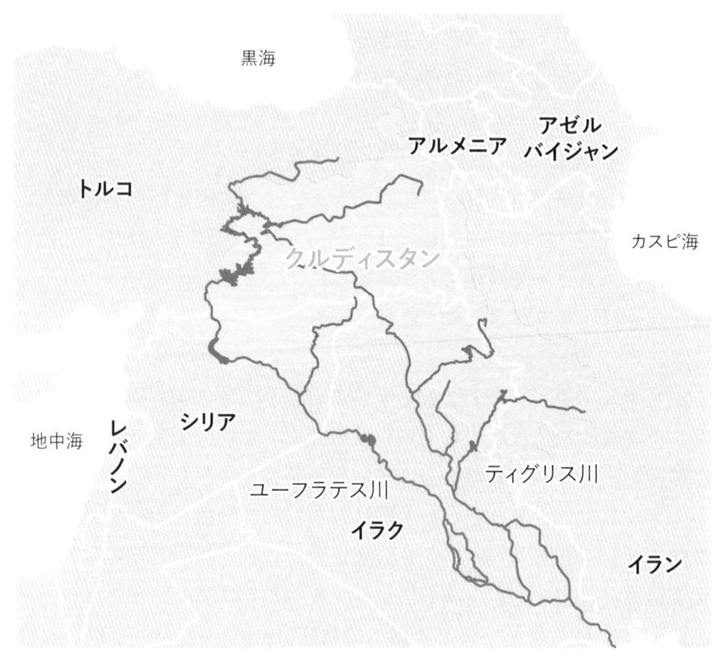


クルド人が多く住む「クルディスタン」は、メソポタミア文明発祥の地であるティグリス川･ユーフラテス川の上流に広がる。

## ISILとの戦いで最前線に立つ

地中海とカスピ海の間に、トルコとシリア、イラク、イランなどの国境が集まる、クルディスタンと呼ばれる地域があります。原油の埋蔵も確認されているこの地域に居住するのが**「クルド人」**です。

2022年のNHKの報道によると、クルド人の人口は**2500万～3000万人**程度で、**「国家を持たない最大の民族」**と言われています。二度の世界大戦の際、それぞれ一瞬だけ独立しましたが、都度、周辺国や列強の干渉にあい、独立を維持することができませんでした。

2011年に「アラブの春」（p.184）が広がった際も、独立を志向したクルド人の武装勢力が活動を活発化しました。その後、この地域に勢力を拡大したISIL（p.186）とは、アメリカの支援を受けながら最前線で戦い、**ISILを壊滅に追い込みました**が、ロシアやイランの支援を受けるシリアがクルド人の独立を認めることはありませんでした。

## 独立を多くの国が警戒

トルコやシリア、イラン、イラクは、それぞれ対立することも多い国々です。しかし、どこかがクルド人の独立を認めると、それが隣国にも波及する可能性があるため、お互いの関係悪化を防ぐためにも、**クルド人の独立要求に対しては強硬な姿勢**を崩しません。

2022年の秋には、テロへの報復などを理由として、トルコがイラクとシリアの、そしてイランがイラクの領内のクルド人武装組織の拠点に、それぞれ攻撃を加えました。クルディスタンの情勢は今もなお不安定なままです。

日本でも、埼玉県川口市や蕨市などで2000人近いクルド人が生活を営んでいるようです。その多くが在留資格を所持しておらず、解体業などに従事しながら不安定な生活を送っています。

# 急拡大した民主化運動「アラブの春」

## 数々の独裁政権が倒されたが、強権的な政権が復活した国もある

### 「アラブの春」とその後

チュニジア

長期独裁政権から民主化に転じたが経済的には困窮

シリア

アサド政権が民主化運動を弾圧し、内戦が泥沼化

リビア

40年以上独裁をつづけたカダフィ大佐の殺害後も、内戦は終わらず

エジプト

ムバラク政権が退陣するも軍がクーデターを起こし独裁政権が誕生

イエメン

サーレハ政権が打倒されるも政権争いが続き「世界最悪の人道危機」に発展

## すべては一人の若者の死から始まった

2010年頃から、北アフリカや中東の国々において発生した一連の反政府・民主化運動を**「アラブの春」**と呼びます。

きっかけは一人の若者の死でした。高い失業率が社会問題化していたチュニジアで、街頭で野菜や果物を売ろうとした青年を警察が制止。警察に物品を押収された青年は**焼身自殺**しました。

この事件が国民の不満に火をつけ、デモが急拡大。23年間、権力を握り続けたベン・アリー大統領は亡命しました。この政権転覆は、チュニジアの国花の名をとって**「ジャスミン革命」**と呼ばれました。

ジャスミン革命は、Twitter(現X)やFacebookといったSNS、カタールの放送局「アルジャジーラ」による報道などによって、周辺のアラブ諸国に瞬く間に広がっていきました。

エジプトでは、約30年間、権力を握り続けた**ムバラク大統領が拘束され**、終身刑が言い渡されます。リビアでは、約40年間、独裁を続けていたカダフィ大佐が反政府運動を武力で鎮圧しようとしたのに対し、NATOが軍事介入。**カダフィ大佐は殺害されました。**

## 民主化運動は「失敗」に終わったのか

とはいえ、アラブ世界に民主的な政権が根付いたかというと、そういうわけではありません。エジプトでは早くも2013年にクーデターが発生し、**強権的な政権が復活**しています。リビアやイエメンでは、政権打倒後、国内が分裂し、内戦が発生しました。

そしてシリアです。政権を握るアサド大統領派と反体制派の対立は、宗教間の対立や民族間の対立がからんで大規模なものとなり、アメリカやロシアなどが軍事介入する事態に至りました。UNHCRは1100万人を超えるシリア難民が支援を必要としていると発表しており、**世界史上最大の難民危機**を引き起こす事態となっています。

# 国家を名乗ったイスラムテロ組織ISIL

## シリアの内戦に乗じて勢力を拡大し、世界中を敵に回した末にほぼ壊滅した

### アフリカ・中東に拡大したISIL

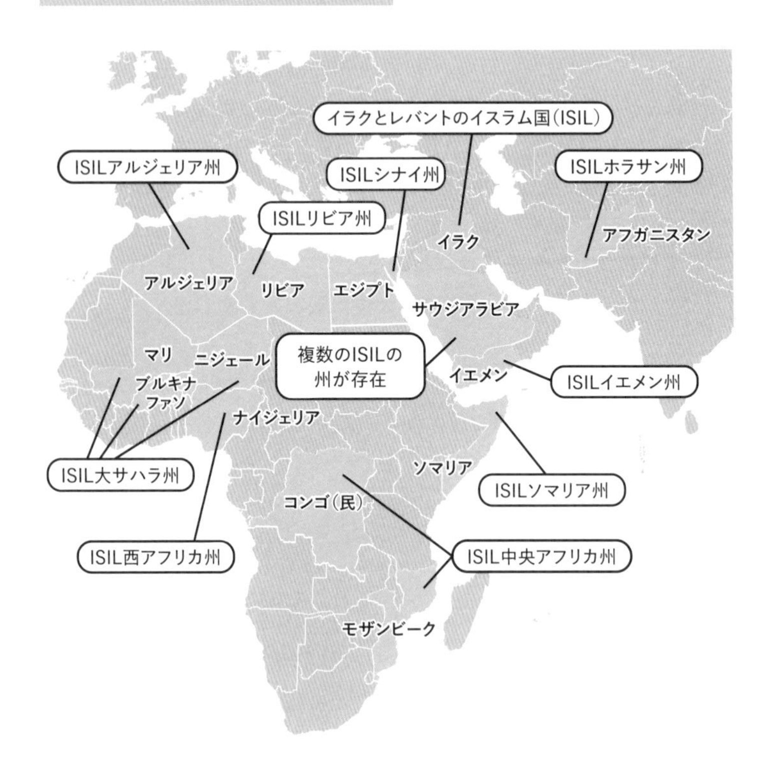

## テロで知名度を高め戦闘員を勧誘

シリアの内戦に乗じて勢力を拡大したのが、「斬首動画」などで世界に衝撃を与えた**「ISIL（イラクとレバントのイスラーム国）」**です。

ISILは、イスラーム世界の最高指導者を示す「カリフ」の称号を持つ者が治める国家の樹立を宣言しましたが、ほとんどの国が国家として承認せず、「イスラーム国」と呼ぶのを控えました。

2003年のイラク戦争のあと、混乱するイラクを拠点に活動していたISILは、11年以降、シリアの内戦が本格化すると、シリアのアサド政権を敵に回して戦いながら支配域を広げていきます。

ISILは、パリで130名以上の死者を出すテロを起こした2015年に最盛期を迎えます。カリフ国家の一員になることを夢見た4万人以上の**「外国人戦闘員」**が集（つど）ったことも話題になりました。しかし、味方以上に敵が増えるのも早かったようです。

## 支配領域は失うもテロは散発的に続く

アメリカや英仏、イラクなどで構成された有志連合軍だけでなく、シリアのアサド政権を支援するロシア軍もISILを繰り返し攻撃しました。

周辺で暮らすクルド人部隊や、世界的なジハード（聖戦）の主導権を巡って争うアルカイダなども敵に回り、2017年には**ほとんどの支配領域を失いました**。ただ、ISIL支持者によるテロはヨーロッパを中心に頻発しており、予断を許さない状況が続いています。

シリアの内戦は「アラブの春」から10年以上が経過する現在も続いています。アサド政権は否定していますが、国際的に禁止されているサリンなどの化学兵器が一定のタイミングで使用されており、国連などの発表によると40万人を超える死者、1200万人を超える難民・避難民が発生しているとのことです。

# 現在も紛争が続く イスラエルとパレスチナ

## ハマスの攻撃に対する報復として ガザ地区の多くの民間人が犠牲に

### 2つのパレスチナ自治区

## 第二次大戦後、ユダヤ人が国家樹立を宣言

地中海東岸、シリアとエジプトの間に広がる地域を**パレスチナ**と呼びます。第二次世界大戦後、ユダヤ人による国家建設を目指すシオニズム運動が盛り上がり、アメリカを味方につけたユダヤ人は1948年に**イスラエルの建国**を宣言しました。これによって、現地のアラブ系住民であるパレスチナ人の多くが難民となりました。

1993年、イスラエルのラビン首相とPLO（パレスチナ解放機構）のアラファト議長の間で「オスロ合意」が結ばれ、**ガザ地区**と**ヨルダン川西岸地区**におけるパレスチナ人の自治が実現しました。しかしその後も、ガザ地区の**武装組織ハマス**によるテロや、イスラエル軍による自治区域の封鎖や武力攻撃が繰り返されてきました。

## イスラエル・ガザ紛争の勃発

2023年10月７日、ハマスはイスラエルに数千発のロケット弾を撃ち込み、戦闘員を侵入させて多数の民間人を殺傷・拉致しました。

イスラエルとアラブ諸国の融和が進み、パレスチナが孤立化することへの焦りがハマスを動かしたのではないかという意見もあります。

これを受けてイスラエル軍はすぐに反撃に転じ、ガザ地区を攻撃しました。紛争は2024年６月現在も続いており、ガザ地区の民間人を中心に、すでに**40000人近い死者**が発生しています。

イスラエルと隣国レバノンのシーア派組織**ヒズボラ**の間の緊張も高まってきています。

2024年６月にヒズボラの指導者が、イスラエルとの戦争が始まれば、イスラエル軍の訓練に空港を貸しているキプロス（p.162）を攻撃すると宣告しました。キプロスはEU加盟国です。

ヒズボラとイスラエルの戦争が始まれば、イランがヒズボラに加勢する可能性もあり、EUやアメリカが対応に追われています。

# かつての文明の十字路 アフガニスタン

## 2021年、米軍の撤退にともない、タリバン政権による支配が復活した

### 歴代米政権のアフガン政策

**ブッシュ政権**
（2001～2009）
2001年の同時多発テロ事件を引き起こした国際テロ組織アルカイダを匿ったとして、アフガン侵攻、タリバンを駆逐。親米政権を立ち上げた。

**オバマ政権**
（2009～2017）
アフガンへの米軍増派。アルカイダの指導者ビン・ラディン殺害後、撤退の道筋を模索した。

**トランプ政権**
（2017～2021）
「アフガンでの出血はアメリカ・ファーストではない」とし、アフガン政府の頭越しに、復活しつつあったタリバン勢力と交渉し、撤退の目途をつける。

**バイデン政権**
（2021～）
トランプ政権の計画を踏襲し撤退を強行。政権はタリバンに奪還され、約20年にわたるアメリカのアフガン政策は水泡に帰した。

## ソ連とアメリカの対立の舞台に

アフガニスタンは、かつて、シルクロードとインドへの道が交差する「**文明の十字路**」と呼ばれた地域に広がる内陸国です。19世紀には、中央アジアに南下したいロシアと、インド植民地を守りたいイギリスの勢力争いに巻き込まれました。

1919年に独立を勝ち取り、第二次世界大戦後には共産主義政権が誕生しますが、政情不安が続いたため、79年にソ連が侵攻を開始。

ソ連に抵抗する「**ムジャヒディン（聖戦士）**」と呼ばれる兵士たちをアメリカが支援したことで、紛争は泥沼化しました。ムジャヒディンのなかには周辺の国々から馳せ参じたイスラーム教徒も多く、後に9・11テロの首謀者となる**ウサマ・ビン・ラディン**も、その一人でした。

## 政権を取り戻したタリバン

1989年にソ連が撤退すると、今度はムジャヒディン同士の勢力争いが激化します。そのなかで頭角を現したのが「**タリバン（神学生）**」と呼ばれる組織でした。タリバンは、これを利用してアフガニスタンを安定させようとしたアメリカや隣国パキスタンの支援を受け、96年に当時の大統領を殺害して国土の大半を支配下におきました。

2001年、アメリカは、タリバン政権が、9・11同時多発テロを起こしたテロリストグループ「**アルカイダ**」を支援し、その責任者であるビン・ラディンをかくまっているとして、イギリスなどとともにアフガンを攻撃し、反タリバン政権を立ち上げます。

しかし、その後もタリバンはパキスタンなどの支援を受けながら地方で勢力を維持。政情が不安定な状態が続くなか、2021年に米軍がアフガンからの撤退を強行すると、タリバンはすぐに首都カブールに侵攻し、**政権を奪還**しました。女性の権利を大きく制限し、反対派には厳罰をもって臨むタリバン政権の支配は現在も続きます。

# 核開発の可能性を残す中東の大国・イラン

## イスラーム原理主義勢力が統治し、主要国を警戒させる材料を多く持つ

### イランを取り巻く国際関係

対立関係

アメリカ

経済制裁の一部緩和などと引き換えに、核開発の制限交渉の糸口を見つけたい。

イスラエル

パレスチナのハマスなどを支援してきたイランの核開発を警戒。なお、イスラエルの核兵器保有は国際的に確実視されている。

イラン

ロシア

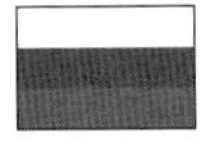

欧米が主導する経済制裁に苦しむ国家同士、武器や穀物の取引などで連携。

中国

2023年7月、イランが上海協力機構に正式加盟。中国はイランからの原油の輸入を増やし、経済面での連携を強化。

友好関係

## 欧米式近代化の反動で一気にイスラム化

かつて「**ペルシア**」と呼ばれていたイランでは、7世紀頃からイスラーム化が進行し、その後、とくにシーア派が勢力を拡大しました。

第二次世界大戦後、国王パフレヴィー2世が、英米や英米の石油会社と通じて「**白色革命**」と呼ばれる近代化政策を進めると、これに反発したイスラーム原理主義勢力が、ホメイニ師を指導者として革命を起こします。彼の死後、ハメネイ師が最高指導者の地位に就き現在に至りますが、国内にはイスラーム原理主義勢力による統治を快く思わない国民も少なくないようです。

2022年10月、22歳の女性が、**スカーフから髪が大きくはみ出ていた**との理由で警察に逮捕され、3日後に死亡するという事件が起きました。

警察は「心臓発作によるもの」と発表しましたが、多くの国民は取り調べ中の暴行によるものと見て、大規模なデモが広がりました。

22年11月、BBCは、国連が、イラン政府による取り締まりによって「これまでの9週間ですでに300人以上が死亡し、1万4000人が逮捕された」と指摘したと報じました。

## 核合意で揃わない主要国の足並み

核については、2015年、イランと米英仏独露中の6ヵ国の間で、イランの核開発の制限と引き換えに、イランの経済を締め上げていた主要国による制裁を解除するという「**イラン核合意**」が結ばれました。アメリカのトランプ政権がこれを一方的に破棄したことにより、続くバイデン政権による合意の再形成は難航しています。

**人権問題や核開発により周辺諸国に警戒される**イランは、ウクライナ侵攻を非難する国々から経済制裁を受けるロシアとの距離を縮めているようです。

# 13億人を擁する多種多様なアフリカ

## 膨大な言語や民族で構成され、国家の成り立ちもまちまち

### 大まかな区分けと文化の傾向

## 数の把握すら難しい言語や民族

アフリカ大陸は、**世界の陸地の約５分の１を占める約3000km²の面積**と、**13億人を超える人口**を抱える、広大な地域です。

南北の距離は赤道を挟んで約8000kmに及び、砂漠や熱帯林、草原、高山など、景観も様々です。言語や民族の数も2000を下らないと見られていますが、そもそもあまりにも多様性に富んでおり、**正確な数が把握しにくい**のが実情のようです。

## 同じアフリカでもこんなに違う

地中海に面した北アフリカには、エジプトやリビア、アルジェリアといった国々が広がります。これらの国々は、国民の大多数をアラブ人・イスラーム教徒が占め、**アフリカの一部でありながら中東の一部としての側面**も持ちます。

大陸の西側には、世界有数のカカオの生産地であるガーナやコートジボワール、アフリカ最大の人口を誇るナイジェリアなどの国々が広がります。かつて**奴隷貿易の被害を強く受けた地域**でもあります。

東側には、ケニアやタンザニア、第二次世界大戦前の数年間を除いて独立を保ち続けたエチオピア、2011年にスーダンから独立した南スーダンなどの国々が並びます。

大陸の中央部に位置するのは、独立後も紛争が続いたコンゴ民主共和国（旧ザイール）や、1994年に発生した民族間の大虐殺を乗り越えて、ICT立国として**「アフリカの奇跡」**と呼ばれる発展を遂げたルワンダなどです。

大陸南端の南アフリカ共和国では、人種隔離政策・アパルトヘイトが終わって約30年が経過します。現在でも白人を敵視する黒人政党が一定の支持を集めており、初の黒人大統領・ネルソン・マンデラが夢見た**「虹の国」**の実現は、そう簡単ではないようです。

# 根深く影響を残す欧米列強の植民地戦略

## 産業革命をへて工業化を進めた列強が資源を求めて植民地化を進めた

列強による植民地支配

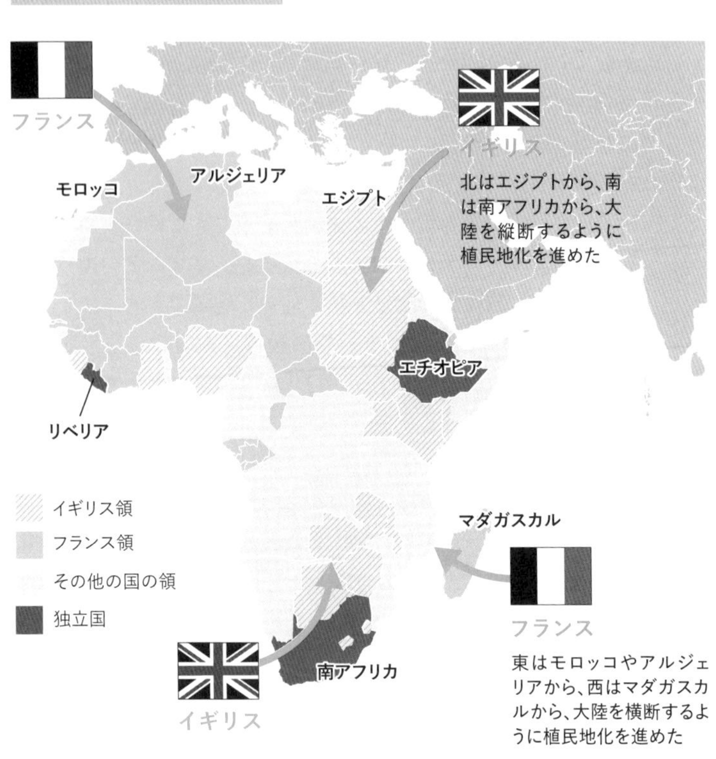

## 奴隷貿易の犠牲となったアフリカ人

西アフリカの沿岸部では、15世紀半ばからヨーロッパとの貿易が始まります。そして、アメリカ大陸の植民地化が進むにつれて、**「商品」に占める奴隷**の割合が増えていきました。奴隷貿易は19世紀前半にピークを迎えます。奴隷として連れ去られた人の数は、少なく見積もっても**1000万人を下らない**と考えられています。

奴隷の多くは、南北アメリカの農場や鉱山での過酷な労働を強制されました。奴隷貿易による極端な人口減少や、白人とともに奴隷狩りを進めた現地の指導者層への不信感などは、その後のアフリカの発展を妨げる要因となりました。

## モノカルチャー経済の遠因

19世紀の中頃になると奴隷貿易は下火になっていきます。その背景には、人道的な見地からの奴隷制度反対運動の拡大もありました。しかし、それだけではありません。

**奴隷という労働力を使って資本を蓄積**し、産業革命をへて工業化を押し進めたヨーロッパ諸国は、今度は**奴隷以上に資源を必要とする**ようになっていたのです。こうしてアフリカは、苛烈な植民地獲得競争にさらされるようになりました。

20世紀に入る頃、エチオピアとリベリアを除くアフリカ大陸の大部分が、イギリスやフランスなどの植民地にされました。

植民地を支配する宗主国は、植民地において、**鉱物資源や天然ゴム、カカオや綿花**など、自分たちが必要とする資源や換金性の高い作物の生産を積極的に進めました。

その結果、植民地では、一種類の作物や天然資源に依存する**「モノカルチャー経済」**が広がりました。この構造は現在でもアフリカ各地に残されています。

# アフリカで台頭するロシア・中国の存在感

## 国連での１票と天然資源を目当てにアフリカに接近するロシア・中国

### 拡大する中ロのプレゼンス

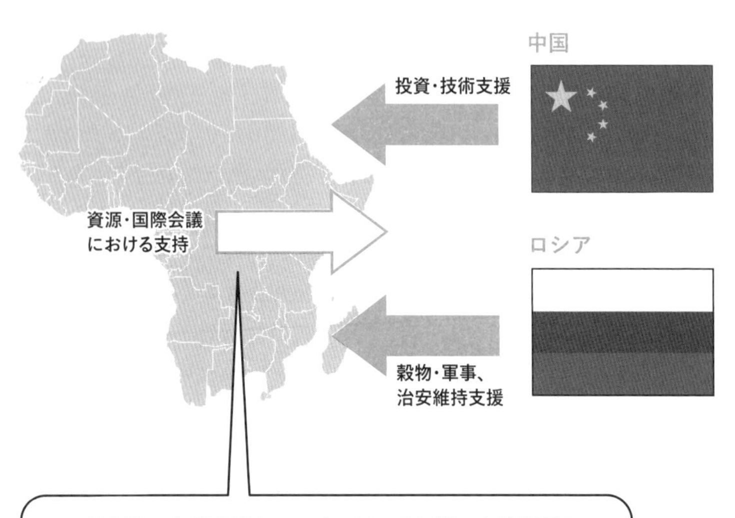


**アフリカ側の支持事例1**

2022年10月の国連人権理事会で、中国・ウイグル問題の討議を求める動議が反対多数で否決。アフリカ諸国のなかで賛成に回ったのは1国のみだった。

**アフリカ側の支持事例2**

2022年3月の国連総会では、ウクライナからのロシア軍即時撤退を求める決議案に対して、アフリカ54ヵ国のうち約半数が、棄権もしくは不参加を選択した。

## 第二次大戦後に訪れた独立ラッシュ

20世紀に入ると、植民地のなかで独立を求める声が徐々に強まっていきました。第二次世界大戦が終わると、アメリカやソ連がヨーロッパ諸国による植民地支配の継続に反対したのもあって、いよいよ独立する国があらわれ始めます。ナイジェリアやソマリアなど、17の国が一気に独立した1960年は**「アフリカの年」**と呼ばれました。

ただ、独立を達成した国々では、植民地支配のなかで形成されたモノカルチャー経済の構造をなかなか打破できませんでした。単一の、しかも一次産品に頼る経済は、国際的な景気や資源価格の変化による影響を強く受ける、非常にリスクの大きいものです。

## 石油危機の後遺症に着目した大国

やがて、1973年に訪れた石油危機によって財政危機にさらされたアフリカの国々は、**世界銀行や国際通貨基金（IMF）による援助**を受けました。ただ、これらの組織は、援助と引き換えに緊縮を求めます。国家企業の民営化や市場統制の撤廃などを進め、借金を返しやすい「小さな政府」に変えていこうとするわけです。

こうなると、国家が新たな産業に投資をするのが難しくなります。この**「構造調整プログラム」**は、結果としてアフリカ諸国の発展をさらに遅らせたと批判されることがあります。

この状況において、2000年代から**「新たな貸し手」**として登場したのが中国です。膨大な人口と様々な国際問題を抱える中国にとって、**天然資源を保有**し、**国連総会で1票を持つ**アフリカ諸国との関係を深めておくことには大きな意味があります。

先進国が設けた基準にとらわれずに進められる中国の融資や援助は、批判を浴びつつも、アフリカの発展において大きな存在感を見せています。

# アフリカの未来は国境や民族を越えるか

## 民族や人種、宗教で線引きされた国境でないからこそ、秘められた可能性がある

### 現在も各地で頻発する紛争

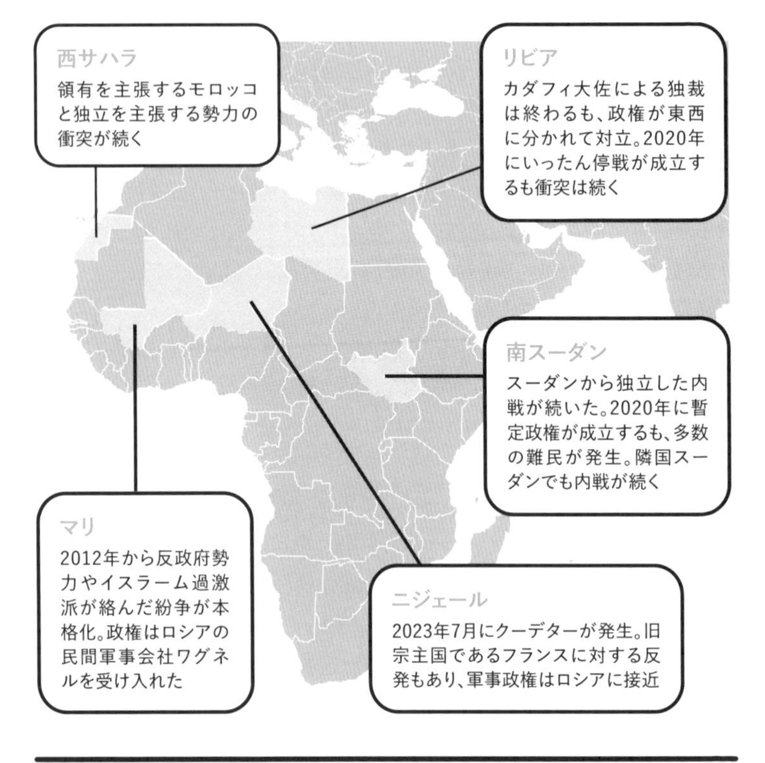

## ヨーロッパ諸国の都合で引かれた国境線

**アフリカの国境線には直線が多い**、という話は比較的有名です。ヨーロッパ諸国はアフリカを植民地化する際、現地の人びとの民族や宗教、言語などに頓着せず、緯度や経度などを用いて自分たちの都合で植民地の分割線を引きました。そして、アフリカの国々が独立する際、その分割線はそのまま国境線として残されました。

ひとつの国に複数の異なる民族が存在したり、同じ民族が複数の国家に分断されたりしたことが、民族間の対立が続く理由になったというのは事実かもしれません。では、もしアフリカの国々が**民族ごとに独立していたら**状況は変わっていたでしょうか。

## アフリカのまとまりをつくる試み

この点について、2022年３月、ロシアのウクライナ侵攻を受けてケニアの国連大使が印象に残る演説をしました。
「独立する際、私たちが民族や人種、宗教の同質性に基づいて建国していたら、この先何十年も血生臭い戦争を続けていたかもしれない。しかし、私たちはその道を選ばなかった。（中略）危険なノスタルジアで歴史にとらわれる国ではなく、誰もが知らない、**より偉大な未来に期待する**ことにしたのだ。」

1963年に創設された**「アフリカ統一機構（OAU）」**は、加盟国間の内政不干渉を原則としており、各国の為政者、とくに独裁者にとって都合のよい組織でした。その反省を踏まえ、2002年にOAUに代わって誕生した**「アフリカ連合（AU）」**は、加盟国の紛争に介入する「平和維持活動」を行う権限を付与されています。

政府と反政府勢力や民族と民族の対立、資源の偏り、貧困や感染症といった様々な壁にぶつかりながら、それでも**アフリカとしてのまとまり**をつくるために前進しようという動きは続いています。

COLUMN

## 「砂漠化との戦い」

「世界最大の砂漠」といわれるアフリカのサハラ砂漠の南側には、「サヘル」と呼ばれる地域が広がっており、ここには、ニジェールやマリ、ブルキナファソ、モーリタニアといった国が位置しています。

UNHCR（国連難民高等弁務官事務所）の報告によると、この地域では、極度の干ばつがもたらす食糧や水の不足や、少ない資源を巡って繰り返される紛争や暴力行為などによって、数百万人が国内外での避難を強いられています。

サヘルは世界でもっとも砂漠化が進んでいる地域です。砂漠化の原因は様々で、気候変動もその一因と考えられていますが、人口の増加がもたらす過耕作や過放牧、森林伐採、極端な焼き畑なども、植生の減少の大きな原因となっています。

ただ、砂漠化が進んでいるのはアフリカだけではありません。アジアでも、中国やウズベキスタン、キルギスタンをはじめとする国々で砂漠化が進んでいます。たびたび深刻な干ばつが発生するアメリカの内陸部や、スペインなどのEUの国々でも砂漠化が警戒されています。

砂漠化への対応としては、大規模な植林による再緑地化や、アグロフォレストリーに代表される持続可能な農業の導入が挙げられます。アグロフォレストリーとは、ひとつの土地に樹木と農作物を一緒に植え、農業と林業・畜産業を同時に行う森林農業を指す言葉です。

国際社会においては、196の国や地域とEUが批准する「国連砂漠化対処条約」が存在します。2024年にも、サウジアラビアで締約国会議の実施が予定されており、砂漠化との戦いの加速が期待されます。

# PART 6

# 南北アメリカのキホン

近年のアメリカの大統領選挙では、
民主党と共和党が拮抗する状態が続いており、
アメリカ社会が抱える分断の深刻さがうかがえます。
中南米から北米を目指すことを決めた人びとは、
今も未開のジャングルを命がけで突破しています。

# アメリカ建国の歴史と進まぬ銃規制

## 自ら独立を勝ち取り、国土を広げてきた歴史と銃は一体化している

### 合衆国憲法と銃乱射事件

**アメリカ合衆国憲法修正第2条**

**規律ある民兵は、自由な国家の安全にとって必要であるから、人民が武器を保有しまた携帯する権利は、これを侵してはならない**

米銃乱射事件の発生件数

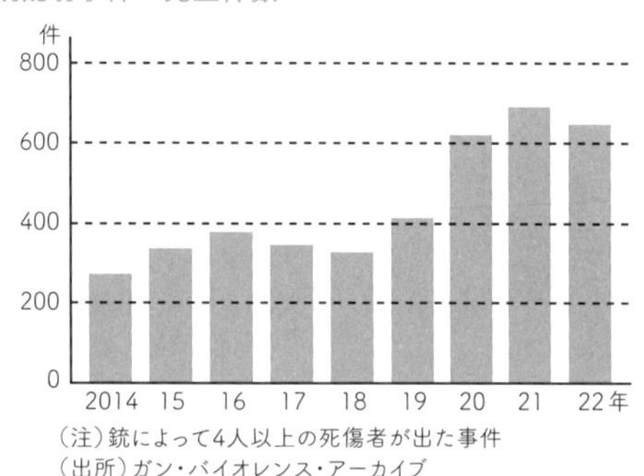


（注）銃によって4人以上の死傷者が出た事件
（出所）ガン・バイオレンス・アーカイブ

## 州は連邦の下部組織ではない

「United States」と呼ばれるアメリカは連邦国家です。

50の「states」を日本では「州」と呼びますが、州は連邦政府の下部組織ではなく、**ひとつひとつが独立した政府**です。

ただ、対外的にはアメリカとしてのまとまりを維持しておいた方が有利ということで、国防や外交、貨幣の鋳造など、**一部の限られた業務**を連邦政府に委ねています。

17世紀前半、日本が江戸時代に入った頃、国教会への入信を強制する国王から逃れようとしたイギリスのキリスト教徒が大西洋を渡り、ここから白人による**北米大陸の植民地化**が進みます。

1776年、**イギリス本国の支配に抵抗した**東部の13州が、戦争をへて、王を持たない「共和制」の国家として独立を勝ち取ります。独立宣言が公布された７月４日は**「独立記念日」**として現在でも盛大に祝われています。

アメリカに続いて、イギリスから独立したカナダやオーストラリアでは、本国が積極的に自治権の拡大を認めたこともあって、アメリカ独立戦争のような大規模な軍事衝突は発生しませんでした。

## 西部開拓という神話

19世紀に入ると、**白人による西部への進出**が本格的に進みます。先住民を追い立てながら進められた西部「開拓」を、白人は**「マニフェスト・ディスティニー（明白な天命）」**によるものとして正当化しました。

自分たちの生活を保障してくれる支配者が存在しない**「新大陸」**において、銃を手に独立を勝ち取り、自らの身を守り、国土を広げていった歴史が、銃の乱射事件が後を絶たないにもかかわらず、銃規制が進まない要因のひとつと考えられています。

# 元首にして軍・行政の長も兼ねる 米大統領

## アメリカ大統領の権限は強大だが、立法権や予算の議決権は連邦議会が持つ

米大統領と連邦議会の関係

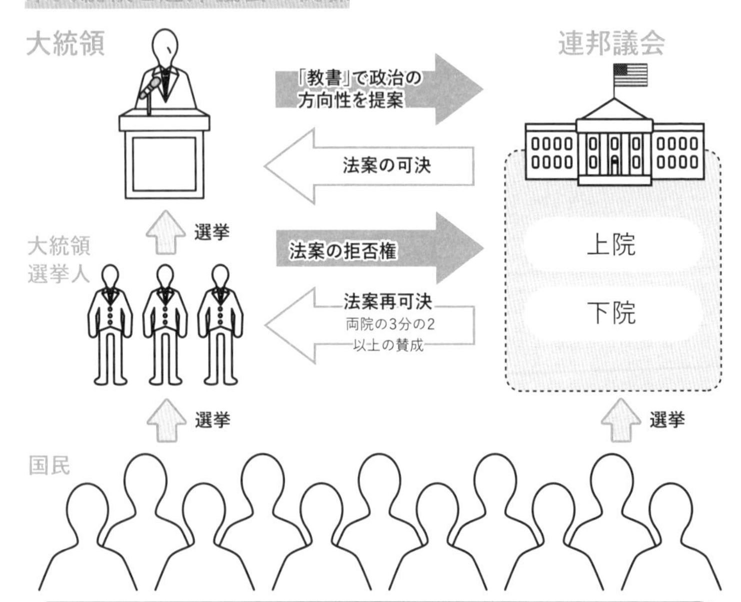


アメリカ大統領は日本の内閣総理大臣と異なり……

・議会ではなく国民に選ばれて行政府の長となる

・法案の提出権は持たないが、法案の拒否権を持つ

## 大統領選挙は４年に１回、任期は２期８年まで

アメリカの「大統領」は、**行政の責任者**であり、かつ**国家元首**や**軍の最高司令官**の顔もあわせ持つ強大な役職です。大統領選挙は、夏季五輪と同じく４で割り切れる年に実施されます。１回の任期は４年、合計２期まで務めることができます。

大統領は、各省庁の長官はもちろん、その下で働く官僚たちの任用権限を持っています。そのため、大統領が変わると、3000人を超えるスタッフの入れ替えが発生することもあります。

大統領は、議会の承認を不要とする**「大統領令」**を発して政治を動かすことができますが、これはあくまで行政府のメンバーに対する命令で、国民や議会を拘束するものではありません。

## 任期や議席配分が異なる上院と下院

一方、立法や予算を任されているのは**「連邦議会」**です。大統領は、立法や予算に関する要請を**「教書」**というかたちで議会に発しますが、法律案や予算案を議会に直接提出することはできません。

連邦議会は**上院**と**下院**に分かれます。上院は100名、州の人口に一切関係なく、50の州から２人ずつ選ばれます。任期は６年で、２年に一度、約３分の１の議員が入れ替えられます。

下院は435名、任期は２年で、２年ごとに総入れ替えが行われます。まずは50の州に最低１議席が配分され、残りは州ごとの人口に応じて割り振られます。選挙はすべて小選挙区制です。

大統領の任期の前半が終了したところで実施されるのが**「中間選挙」**です。ここでは上院の約３分の１と下院全員、そして多くの州の知事の選挙が同時に行われ、２年間の大統領の政治を国民が評価する機会となります。

# 国民の支持は拮抗、民主党と共和党

## 「リベラルで大きな政府」が民主党「保守的で小さな政府」が共和党

### 両党の政治的傾向と支持基盤

| | 民主党 | 共和党 |
|---|---|---|
| 政治的傾向 | •リベラル<br>•大きな政府<br>•移民の受け入れに寛容<br>•銃規制に積極的 | •保守<br>•小さな政府<br>•不法移民に厳格<br>•銃規制に消極的 |
| 支持基盤 | 東西の都市部に多い | 中西部から南部の農耕地帯に多い |
| | 西海岸　東海岸 | 中西部　南部 |
| | ペンシルバニア州やウィスコンシン州など、両党の支持者数が拮抗する州は「スイングステート」と呼ばれ、選挙の際に特に注目される | |

## 都市部の住人や移民の支持が厚い民主党

アメリカの政治は**「民主党」**と**「共和党」**という**二大政党**を軸に進められます。この２つ以外の党も存在しますが、大統領はもちろん、連邦議会の議員のほとんどがどちらかの党に属しています。

民主党は、外交では国際協調、内政では社会保障が充実した**「大きな政府」**を志向し、比較的リベラル色が強い政党と言われています。

かつては貧困層からの支持が厚いイメージがありましたが、現在はリベラルな考えの持ち主が多い**東西の沿岸部の都市部**に勢力を広げています。**ラティーノなどの移民**（p.221）からの支持も無視できない規模になっているようです。

## 「福音派」が共和党の重要な支持基盤

共和党は、外交では単独行動、内政では**「小さな政府」**を志向し、保守的な面を強く持つ政党です。中西部の**農業地域**や**南部**に勢力を広げており、**白人貧困層**からも一定の支持を集めています。

共和党の重要な支持基盤に、**「福音派」**と呼ばれる敬虔なプロテスタントの信者たちがいます。

**アメリカ人口の約４分の１を占める**とも言われる福音派は、聖書の文言を字義どおりに解釈する傾向が強く、**「妊娠中絶」**や**「同性婚」**に対して強硬に反対します。これらは銃規制や移民、人種差別の問題と並んで、現代のアメリカを大きく二分するテーマとなっています。

もちろん、ここに挙げたのはあくまで大きな傾向に過ぎません。それぞれの政党内に意見の対立や複数の派閥が存在します。ただ、近年の選挙において、両党の人気は非常に拮抗しており、アメリカ国民の間に広がる**分断の根の深さ**が見てとれる状態が続いています。

# 金融危機を招いたリーマンショック

## 金融商品化された不動産ローンが不良債権化し世界経済を悪化させた

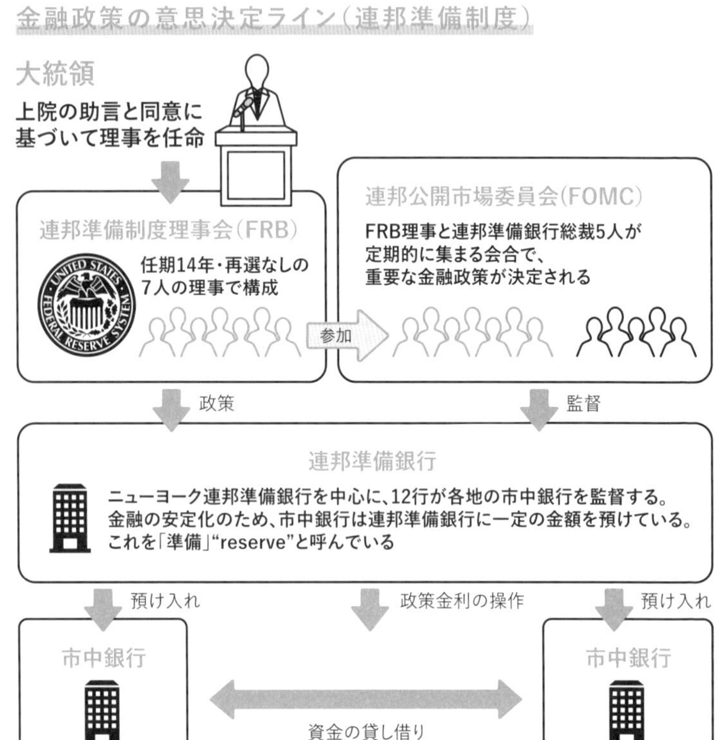

## 不動産バブルでリスクが見えなくなった

2004年頃から、アメリカで**「サブプライムローン」**が急速に普及しました。信用度の高い優良顧客（＝プライム）に準じる（＝サブ）ローンということで、**不動産を購入したい低所得者向け**に、金利を高めに設定する代わりに審査基準をゆるくしたローンでした。

返ってこないリスクがそれなりにあるわけですから、そのままでは広がらないはずのローンでした。しかし、当時の証券会社は、この債権を細かく分割して他の金融商品とともに**パッケージ化**し、リスクが見えにくい状態にして売り出すことに成功します。

並行して**不動産バブル**が発生し、不動産価格が上昇を続けたため、多くの投資家や金融機関がこの金融商品に手を出しました。

## ゼロ金利と量的緩和政策で危機に対処

やがて不動産バブルに陰りが見え始めると、**ローンを返しきれなくなる**人が増加します。

その結果、2008年、当時アメリカで第4位の規模を誇っていたリーマンブラザーズ証券が**約6000億ドル（約64兆円）**という巨額の負債を抱えて経営破綻します。これが引き金となり、世界的な**金融危機**が発生。日本でも当時12000円程度だった日経平均株価が、1ヵ月で7000円を切る事態となりました。

世界的な恐慌の行く先は世界大戦であることを、人類はすでに学んでいます。50州の連合体であるアメリカには、日本銀行のような単一の中央銀行は存在しません。ただ、似た機能を持つ**「準備銀行」**が12存在し、それらを統括する**「連邦準備制度理事会（FRB）」**という組織が金融政策の方向性を決めています。

FRBは金利を限界まで下げる**「ゼロ金利」**政策と、市場に資金を供給する**「量的緩和」**政策をとり、景気の回復に努めました。

# アメリカ社会を分断 異色のトランプ政権

## ポリティカルコレクトネスへの反感や移民への不満などが追い風に

### トランプ政権とバイデン政権

| | トランプ政権（2017～2021） | バイデン政権（2021～） |
|---|---|---|
| 環境 | パリ協定を離脱するなど<br>あくまで国益を追求 | やや国際協調路線に回帰。<br>パリ協定にもすぐに復帰 |
| 外交 | イラン核合意から離脱、<br>アフガニスタンからは撤退<br>を決断し、中国とは苛烈な<br>経済対立を起こした | イランへは軟化。<br>アフガン撤退は継続し<br>タリバンの復活を許す。<br>中国には引き続き強硬路線 |
| 経済 | 新型コロナ対応などもあり、<br>財政赤字と貿易赤字の<br>「双子の赤字」が拡大 | 「インフラ投資雇用法」や<br>「インフレ削減法」により<br>公共投資を行うが、<br>インフレは進行した |
| 移民 | メキシコとの国境に壁を<br>建設することを公約に<br>掲げ、不法移民に対して<br>強硬な姿勢を見せた | 不法移民に対して比較的<br>寛容な姿勢をとったが、<br>国民感情から、規制を<br>強めざるを得なくなっている |

## 叫び続けたひとつのスローガン

2021年１月、トランプ政権は２期目を迎えることなく退陣しました。地球温暖化対策を進める**パリ協定**やアメリカ主導でまとまりかけていたTPPからの離脱、**イラン核合意**からの離脱、**対中貿易戦争**、数十万人規模の死者を出した**新型コロナ対応**、史上初の米朝首脳会談など、様々な政策を進めました。

それらのなかには前のオバマ政権から継続したものもありましたし、実際にアメリカの国益に叶うものもあったでしょう。新たに戦争を始める大統領ではなかったのもたしかです。

ただ、ヒスパニックやアフリカ系の人びとの台頭に不満を持つ白人などの支持を集めながら「American First」を叫び続けた４年間は、アメリカ国内の分断を深める４年間でもありました。

## トランプ氏にすくいあげられた不満

彼の歯に衣着せぬ物言いは、言葉や所作に差別的な意味を含めないように気をつけようという「**ポリティカル・コレクトネス**」的価値観に窮屈さを感じていた人びとに歓迎されました。そして同時に、差別される側の怒りも引き出したようです。

20年５月、黒人男性ジョージ・フロイド氏が警官に押さえつけられて殺害されると、それをきっかけとして「Black Lives Matter」をスローガンにしたデモや暴動が全国に広がりました。アメリカ社会に蔓延する**人種差別の根深さ**を浮き彫りにする出来事でした。

21年１月には、トランプ氏が２度目の大統領選挙に敗北したことを認めない約800名の支持者が**議事堂を襲撃**し、５名の死者を出す事態に発展しました。第１期目のトランプ政権は、４年の間に進んだ分断の深さを実感させる事件とともに終わりを告げました。

# ラテンアメリカに見る植民地政策と冷戦の影

## 経済格差の大きい社会では、貧困層の救済を訴える左派政権が人気を集める

「ピンクの潮流」の波が押し寄せるラテンアメリカ

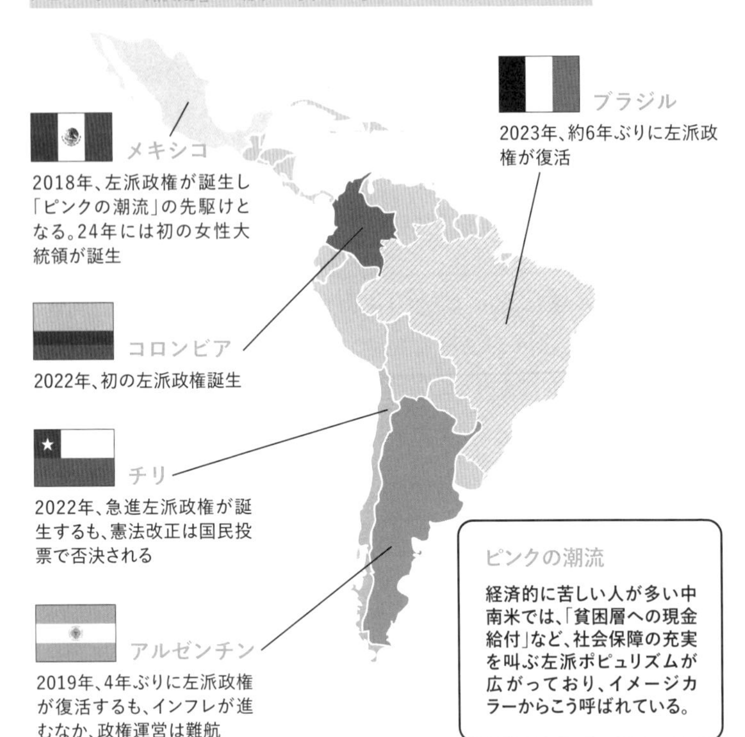

## 現地生まれのスペイン人が独立を主導

イギリス（イングランド）の影響を強く受けているアメリカやカナダなどの地域を**「アングロアメリカ」**と呼ぶのに対し、16世紀頃からスペインやポルトガルの支配を受けた中南米を**「ラテンアメリカ」**と呼びます。

**「ラテン」**とは**「ローマの」**という意味で、スペイン語やポルトガル語が、ローマの公用語であったラテン語から派生した言語であるため、そう呼ばれています。

19世紀、ナポレオンが支配するフランスに押されたスペインの力が弱まると、中南米の国々は次々に独立を勝ち取ります。

独立を主導したのは**「クリオーリョ」**と呼ばれる、現地生まれのスペイン人でした。独立後も彼らが権力や土地を独占したため、中南米は一部の富裕層と9割以上の下層労働者に分断される格差社会となりました。

## 冷戦のなか、アメリカは軍事政権を支援した

独立した中南米の国々は、やがて**アメリカの介入**を受けるようになります。1954年にキューバに社会主義政権が誕生すると、革命の広がりを抑えるため、アメリカはまったく民主的ではない**中南米各地の軍事政権**を支援しました。

冷戦が終わると、アメリカは中南米の民主化、経済の自由化を進めますが、急速な自由化はさらなる格差の拡大を招きました。

中間層が薄い格差社会には安定した民主主義が根付きません。貧困層の救済をうたい、社会保障の充実を叫ぶ**左派ポピュリズム政権**が人気を集めやすい地域になります。

これにアメリカなどの介入を受け続けた歴史が加わり、中南米は今もなお政情不安を抱える国が多い地域となっています。

# 米国に近い社会主義国 キューバの変化

## アメリカとの国交は正常化、政権は「革命を知らない世代」に託された

キューバの歩み

1902年 スペインの植民地支配から独立を果たすも、アメリカに従属する状態が続く

1959年 フィデル・カストロらが親米軍事政権を倒す（キューバ革命）

1961年 アメリカの軍事干渉を受けカストロ政権はソ連に接近（ピッグス湾/コチノス湾事件）

1962年 ソ連のキューバでのミサイル基地建設を警戒したアメリカが洋上封鎖（キューバ危機）

2015年 アメリカと54年ぶりに国交回復。翌年、フィデル・カストロ死去。政権はフィデルの弟、ラウルが運営

2019年 新憲法が制定され、カストロ家の人間ではない大統領が誕生

## 世界の破滅の寸前「キューバ危機」

16世紀からスペインの植民地支配を受け、黒人奴隷を利用した砂糖の生産がさかんになったキューバは、スペインから独立したあとも**アメリカの保護国**とされ、戦後の日本と同様、米軍の駐留も認めさせられました（グアンタナモ基地）。

戦後、アメリカの支援を受けた軍人・バティスタによる強権的な政治が長期化すると、1959年、**フィデル・カストロ**や**チェ・ゲバラ**らが主導する革命が実現。キューバは、資本主義諸国の盟主である**アメリカの目と鼻の先にある社会主義国家**になりました。

62年には、アメリカが付近の海域を封鎖し、キューバに配備されたソ連のミサイルの撤去を迫るという**「キューバ危機」**が発生します。

核戦争目前といわれたこの危機は「アメリカがキューバへの侵攻を控える代わりに、ソ連はキューバに配備したミサイルを撤去する」という両国の妥協によって回避されました。

その後もキューバは、アメリカの経済制裁に苦しみながらも、ベネズエラからの石油の供給などに支えられ、社会主義国としての歩みを続けます。

## カストロの死で新たな道へ

2009年にアメリカ大統領となったオバマ氏は、キューバとの関係改善を外交方針のひとつに掲げ、15年に両国は**国交を回復**しました。

同時期、ロシアや中国もキューバに接近しており、これを牽制する意図もあったかもしれません。

これを見届けたフィデル・カストロは翌16年に90歳で死去し、彼の跡を継いで権力を握っていた弟・ラウル・カストロも、21年に共産党のトップを退き、経済的に苦しむ国民が多いキューバの舵取りは**「革命を知らない世代」**に託されることとなりました。

# アメリカと中国の間で揺れるベネズエラ

## 反米チャベスの後継大統領マドゥロと暫定大統領が並立する騒動に

### 米・中露の代理政争

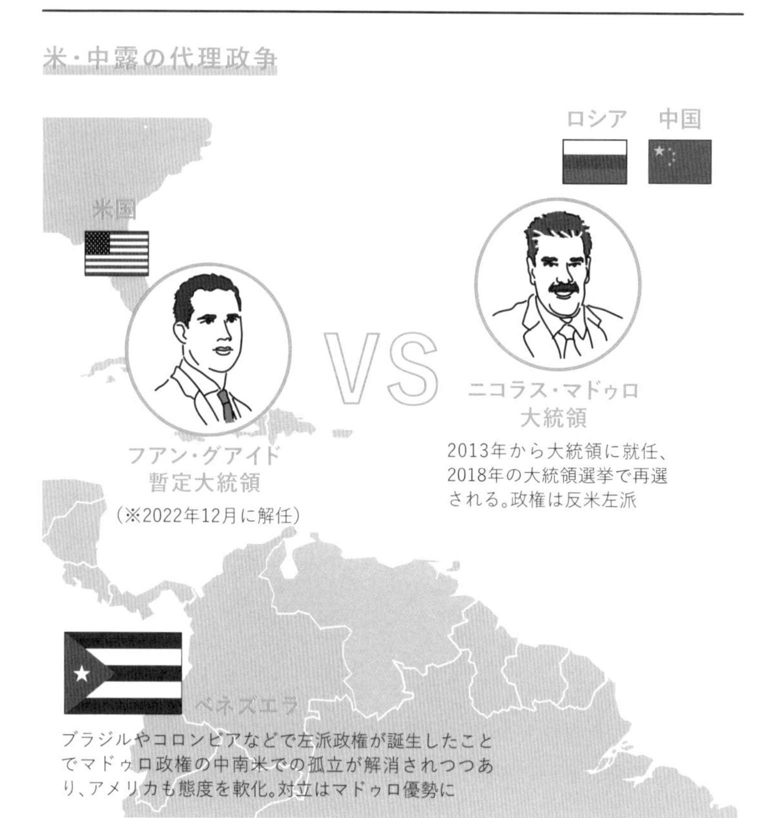

## 経済的に追い込まれた反米政権

アメリカによる干渉を多く受けてきた中南米地域において、現在、急激に影響力を拡大しているのが**中国**です。中国は現在、中南米全体では米国に次ぐ**2番目の貿易相手国**となっています。

報道によると、中国は、台湾を中国の一部として認めない国については貿易や投資を拒否しており、23年現在、中南米の国で台湾の主権を認めるのは8ヵ国のみとなっているとのことです。

大国間の対立の狭間で、悲劇的な状況におかれている国のひとつがベネズエラです。ここは世界有数の産油国で、1998年に誕生した**反米色の強いチャベス政権**は、周辺国に安価に石油を供給し、南米地域における存在感を高めました。

しかし、国際的な石油価格の下落に伴い国内経済は悪化。94年頃からは極端なインフレが進み、国民は生活必需品や医療品を手に入れにくい状況に追い込まれます。

## 「チャベス後」を巡る混乱

チャベスの後を継いで権力を握った**マドゥロ大統領**が、2018年の選挙の際、政敵を排除したうえで選挙を強行したため、反チャベス派を代表する**グアイド**氏が**「暫定大統領」**を名乗ります。

グアイド氏をアメリカやEU、日本などが支持するのに対し、中国やロシア、キューバ、イランなどがマドゥロ氏を支持。与野党の支持者の間での暴力事件なども多発し、治安は悪化しているようです。

生活そのものが困難な状況におかれた国民の多くは国外へ脱出せざるを得なくなっています。22年9月、CNNは「ベネズエラを離れて国外へ脱出した人が、国連機関の統計で600万人を超えてウクライナと並び、初めてシリアを上回った」と報道しており、現在、**世界最大級の難民・避難民の発生地域**となっています。

# 命懸けでアメリカを目指す中南米移民

## ラティーノ移民の増加が止まらず、時の大統領は対応に追われている

### 中南米からの移民がたどる主なルート

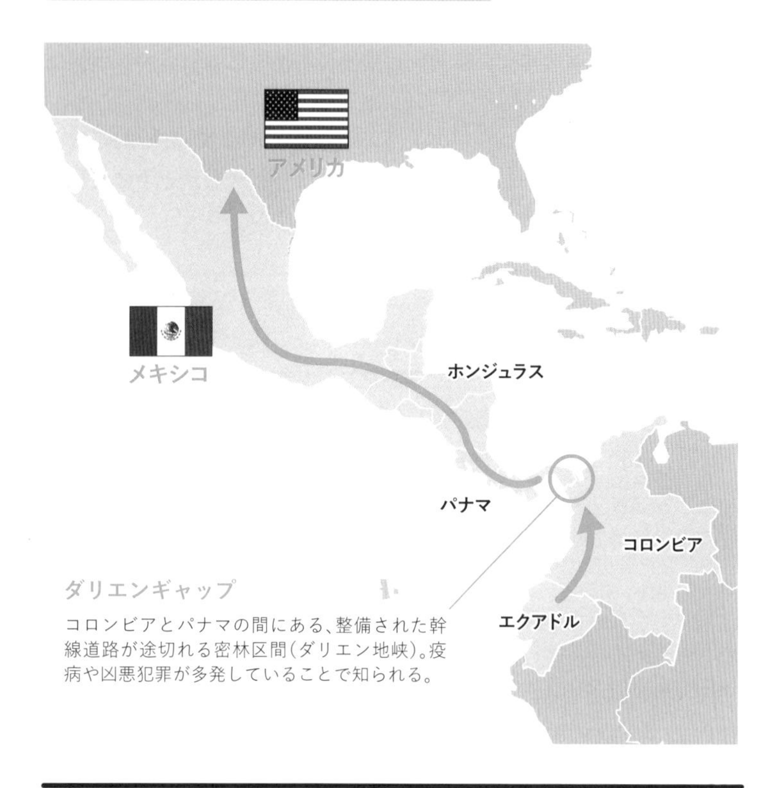

## 厳しい試練を乗り越え自由の国へ

中南米からアメリカに移住した人びとや、その２世や３世を指す「ヒスパニック」という言葉があります。

これはもともと**「スペイン語を話す人びと」**という意味で、ポルトガル語を話すブラジル人などは含まれません。そこで、最近は中南米からの移民を指して**「ラティーノ（ラテン系の人びと）」**という言葉が使われることが増えているようです。よりジェンダーニュートラルな「ラティニクス」という言葉を使う人もいます。

かつて、中南米からアメリカへの移住を目指す人びとのうち、もっとも多いのは**メキシコ人**でしたが、近年では、**グアテマラ**、**エルサルバドル**、**ホンジュラス**からの移民が増えています。

不安定な経済、内戦による荒廃、犯罪組織の跋扈、殺人事件の増加といった様々な理由により、危険なジャングルを抜け、海や大河を渡でもアメリカを目指す人びとが後を絶ちません。

## 米最大のマイノリティにふくれ上がる

これらの移民が**アメリカ人の職を奪っている**として、トランプ大統領はメキシコとの国境に物理的な壁を建設するなど、移民の受け入れを制限する政策を進めました。

これに対して、壁の建設中止を公約に掲げたバイデン氏が大統領になると、アメリカが移民の受け入れに積極的になるとの期待が生まれ、結果として**不法移民が急増**。バイデン政権は、これを問題視する声の対応にも追われています。

一方、米国のあるシンクタンクは、22年11月の選挙の有権者数において、ヒスパニックが黒人・アジア系住民を上回る3455万人に達し、**アメリカ最大のマイノリティ**となったと報告しました。これらの人びとが選挙に及ぼす影響も年々大きくなっており、米国の移民政策はどこに向かうにせよ厳しい状況におかれているようです。

## COLUMN

### 「ブラジルの政治とBRICS」

ラテンアメリカの大国・ブラジルでは、2022年末の大統領選挙で、現職・右派のボルソナロ大統領が敗れ、2003年から２期８年大統領職を務めていた左派のルーラ氏が、大統領に再選されました。ルーラ大統領は「ブラジルは戻ってきた」を合言葉に、国際的な環境問題にも積極的に取り組む姿勢を見せています。

大豆やとうもろこしなどの農産物や、石油や鉄鉱石などの資源の輸出が好調で、経済も堅調なようです。日本も鉄鉱石の約30％をブラジルから輸入しています。

ただ、2023年１月には、ボルソナロ氏の支援者が議会や大統領府などを襲撃し、翌日までに1500人近くが当局に拘束されるという事件が発生しており、アメリカ同様、国内の分断は深刻です。

ブラジルは、ロシア、インド、中国、南アフリカとともにBRICSを構成する一国です。BRICSは、もともとアメリカの投資会社が「成長著しい新興国」を指して使った言葉で、国名の頭文字をとっています。EUのような組織や規約を持たない、ゆるやかな連合で、５ヵ国の人口だけで世界人口の約40％の人口を占めます。

2023年８月のBRICS首脳会議では、2014年１月にサウジアラビア、アラブ首長国連邦、エジプト、イラン、アルゼンチン、エチオピアが加盟することが発表されましたが、アルゼンチンは土壇場になって加盟を取りやめ、サウジアラビアも閣僚が「まだ加盟していない」と言い出すなど、先行きは不透明です。

とはいえ、アメリカやEUに対抗する、かつて開発途上国と呼ばれた「グローバルサウス」の国々の連合体としての期待は大きく、BRICSへの参加を希望する国は少なくないようです。

# PART 7

# アジア・オセアニアのキホン

紛争の火種を抱える台湾や朝鮮半島、
政情が不安定なミャンマーやタイなど、
アジア・オセアニア諸国の「今」を概観します。
膨大な人口を抱えるインドや中国は、
この先、どこに向かおうとしているのでしょうか。

# 世界の工場から市場へ中華人民共和国

## 社会主義国ながら部分的に市場経済を取り入れ世界第２位の経済大国になる

### 共産党が国家を「指導」する

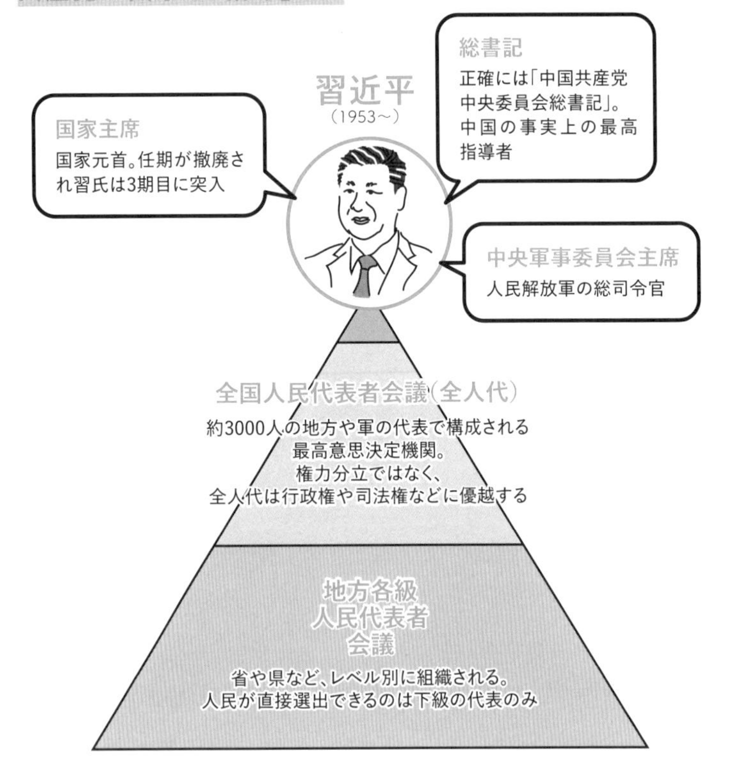

## 経済成長を遂げるも人口は減少中

中華人民共和国は、1949年に中国共産党主席・**毛沢東**が建国を宣言した共和制の国です。1971年に中華民国（台湾）に代わって国連の代表権を手に入れ、安全保障理事会の常任理事国となりました。

**世界第４位の面積**と**世界第２位の人口**を誇る大国で、人口は14億人を超えます。

2015年まで続いた**「一人っ子政策」**により少子化が進んだため、人口は多いですが、人口ピラミッド（p.32）はすでに「つぼ型」に移行しつつあります。現在では２、３人目の出産が奨励されています。

社会主義経済の国ではありますが、毛沢東の死後、実権を握った**鄧小平**の指導の下、1978年から部分的な市場経済の導入に踏み切りました。沿岸部の都市を特区として海外の資本や技術を積極的に吸収し、現在、世界第２位のGDPを誇る経済大国となっています。輸出総額は世界第１位、輸入総額は世界第２位です。

1990年代から2000年代にかけて海外の多くの企業が進出し、**「世界の工場」**と呼ばれました。ただ、経済発展とともに人件費は上がり続け、現在ではモノやサービスの販売先、すなわち**「世界の市場」**としての存在感が強くなってきています。

## 中国共産党が一手に権力を握る

政治システムとしては、立法機関である**「全国人民代表大会（全人代）」**の他に行政、司法機関も存在します。ただ、憲法が**「中国共産党が中国の各民族人民を指導する」**と明言する通り、中国共産党が強大な意思決定権を握っているのが実際のところです。

2012年に、それまでの**胡錦濤**氏に代わって共産党の総書記（党首）の座についた**習近平**氏が、国家主席や軍のトップの地位も兼ねながら現在でも最高指導者として君臨しています。

# 「一帯一路」を掲げ世界に進出する中国

## 中国の投資に期待する国もあるが、人権問題や海洋進出で軋轢も大きい

一帯一路構想

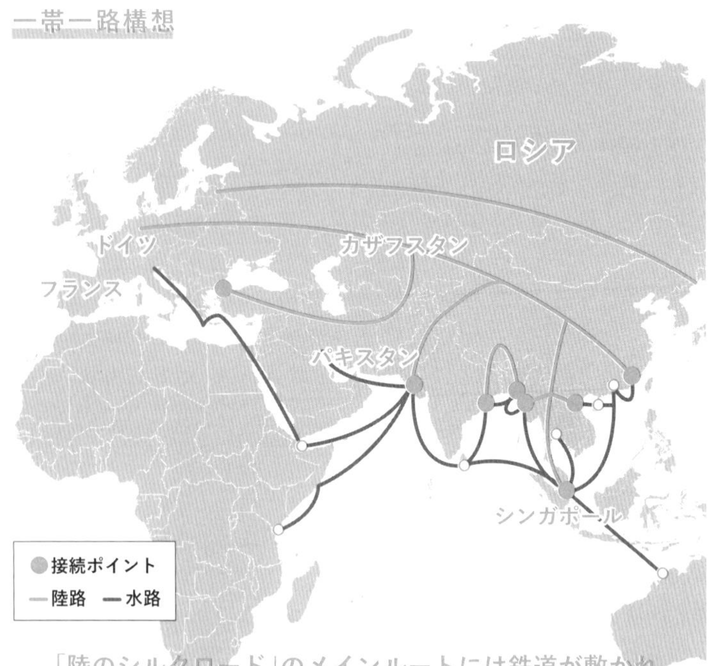


「陸のシルクロード」のメインルートには鉄道が敷かれ、
行き来する貨物列車の本数は年々増加。
「海のシルクロード」においても、
海上輸送を円滑に進めるための、各地の港の使用権取得が進む

## 反政府運動への強硬な姿勢

中国には**23の州**と**４つの直轄市**のほかに、**５つの自治区**と**２つの特別行政区**が存在します。自治区は国内で９割を占める漢民族以外の民族が多く住む地域ですが、**チベット自治区**や**内モンゴル自治区**、そして近年では**新疆ウイグル自治区**における当局による人権侵害が国際的な非難を浴びています。

２つの特別行政区は、1990年代にイギリスから返還された香港とポルトガルから返還されたマカオです。中国はこれらの行政区に「**一国二制度**」を適用し、とくに香港においては返還から50年間は「**高度な自治**」を約束すると表明していました。しかし、2020年に「**香港国家安全維持法**」が施行され、反政府運動への弾圧が厳しさを増したことで、香港における「自由」は大きく失われました。

2013年、習近平氏は「**一帯一路**」構想を打ち出しました。これは、**陸（一帯）と海（一路）**の両方でアジア・ヨーロッパ・アフリカを結び、巨大な経済圏をつくろうという国家戦略です。2015年には、この構想を資金面で支えるために「**アジアインフラ投資銀行（AIIB）**」（p.49）が設立されました。

## 南シナ海や台湾周辺で高まる緊張

現在の中国は海洋進出にも積極的です。

とくに世界的に重要なシーレーンであり、漁業資源も地下資源も豊富な南シナ海には、**軍事施設の建設を含む進出**を続け、ベトナム、フィリピンといった周辺国家やアメリカの反発を受けています。

1971年には、日本の領土である「**尖閣諸島**」の領有権の主張をし始め、台湾（p.228）付近の海域においても戦闘機などの侵入を繰り返し、周辺海域の軍事的緊張を高めています。

# 世界的な半導体の生産地・台湾の今

## 統一を望む中国の圧力に耐えながら、民主化と工業化を進めている

### 台湾の歴史

**1895年** 日清戦争の講和条約「下関条約」により日本の統治下に置かれる。

**1945年** 日本の降伏に伴い、国民政府による統治が始まる。

**1949年** 中国共産党が中華人民共和国を建国。共産党との勢力争いに敗れた国民政府は首都を台北に移す。

**1971年** アメリカ・ニクソン政権の中華人民共和国への接近を受けて、国連の代表権を失う。

**1988年** 初の台湾出身者による李登輝政権が成立、民主化が進む

## 政治的孤立を経済成長でカバー

台湾が中国の支配下に入ったのは、17世紀後半、清朝の頃でした。1895年になると、日清戦争に勝利した日本による植民地支配が始まります。

日本の支配は1945年に終わりを告げますが、代わって台湾を統治した**中国国民党政府（国民政府）**は台湾人を搾取する強圧的な政治を進めました。1947年に発生した弾圧事件「**二・二八事件**」における犠牲者は２万人前後に及ぶと伝えられています。

1949年、中国共産党が「中華人民共和国」の成立を宣言すると、台湾に逃れた国民政府は戒厳令を発し、台湾の人びとの自由を厳しく制限しました。戒厳令は1987年まで約40年間解除されませんでした。

1970年代に入ると、米中の接近を受けて国民政府は国際的に孤立します。**国連の代表権をも失う**事態となりますが、それでも台湾はこの時期、急速に工業化を進め、経済成長を遂げました。近年では世界の半導体の６割以上が台湾で生産されています。

## 若い世代が民進党を押し上げる

民主化が進んだ台湾では、2000年に初めて国民党が野党に転落し、民主進歩党（民進党）が政権を握りました。

2008年には、中国との距離を縮めようとする国民党に政権が戻りましたが、議会軽視の姿勢を見せる国民党を批判する「**ひまわり運動**」などを受けて、2016年、民進党が再び政権交代を果たし、初の女性総統、**祭英文**が誕生しました。

祭氏は２期８年にわたって総統職を務めあげ、2024年５月に退任。同じく民進党の**頼清徳**氏にあとを委ねました。

中華人民共和国の憲法は、その前文で、台湾について「**神聖な領土の一部**」であり、統一は「**神聖な責務**」であると宣言しています。

習近平政権が台湾に対してどのような政策を打つのか、軍事的オプションの発動はあるのか、国際社会の注目が集まります。

# 朝鮮半島の分断は今もなお続く

## 軍事開発に血道を上げる北朝鮮、経済発展するも少子化が進む韓国

両国国境と北のミサイル発射数

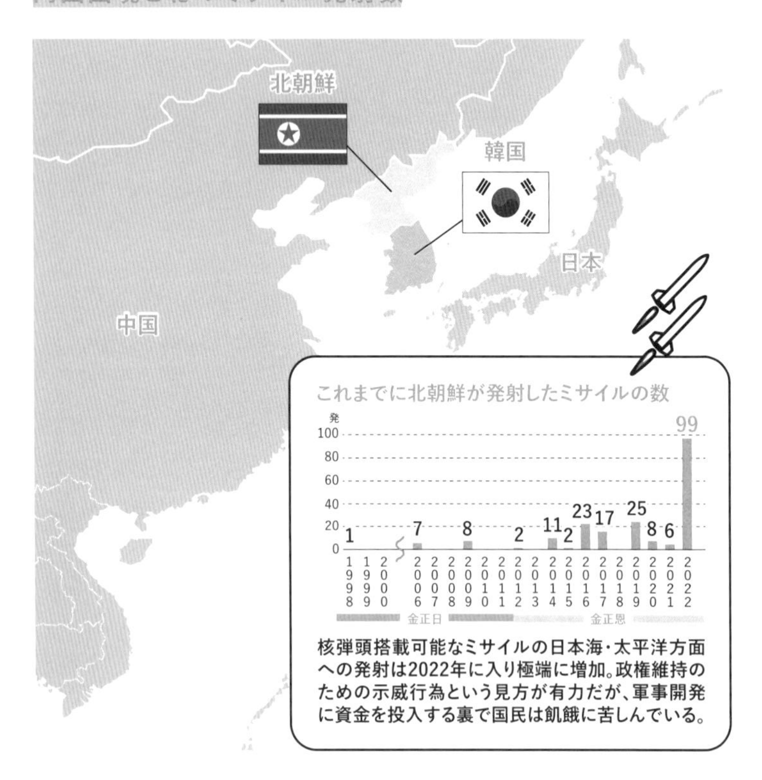


核弾頭搭載可能なミサイルの日本海・太平洋方面への発射は2022年に入り極端に増加。政権維持のための示威行為という見方が有力だが、軍事開発に資金を投入する裏で国民は飢餓に苦しんでいる。

## 国民の多くが飢餓状態にある北朝鮮

第二次世界大戦後、日本の支配から解放された朝鮮半島は、冷戦下の世界において2つの国家に分断されるかたちで独立しました。1950年に始まった朝鮮戦争は、53年に休戦に至りましたが、手続き上は**現在も終戦には至っていない状態**です。

核開発を進めながら戦後の北朝鮮を支配する**金一族**。その三代目となる金正恩政権は、2022年、過去最多となる**59発のミサイルの発射実験**を実施しました。

国民の多くは飢餓や医療品の不足に苦しみ、農村における主なエネルギー源は薪、都市部でも石炭という状況におかれています。

そんな状況下で、それでもミサイル開発に必要な費用を捻出するため、北朝鮮当局と関わりのあるハッキンググループが暗号資産の窃盗などを進めているとして、アメリカや日本は警戒を強めています。

## 急激な経済成長の副作用に苦しむ韓国

韓国は、日本との国交を正常化した1960年代半ばから、後に**「漢江の奇跡」**と呼ばれる急激な経済成長を成し遂げます。97年のアジア通貨危機においては財政破綻寸前となり、IMFの援助を受けるまでになりますが、苦しみながらも財政再建を進めました。

現在の韓国では、大企業で働く正規労働者と、それ以外の労働者の格差の拡大や、物価の上昇、高齢者を中心とした貧困率の上昇などが社会問題化しています。生きていくだけでお金がかかる状況は急激な少子化を招き、合計特殊出生率は**世界最低レベルの0.8前後**まで低下。

このペースでは2070年頃には**人口の約半分が高齢者になる**という見通しもあり、22年の総選挙で政権交代を成し遂げた尹錫悦大統領は、船出の時点から困難な航海を強いられています。

# 日本が関係する 3つの「領土問題」

## 北方領土はロシア、竹島は韓国、尖閣は日本が、それぞれ実効支配する

北方領土・竹島・尖閣諸島

## ロシアが実効支配を続ける北方領土

p.115で扱ったように、満州事変から始まる一連の紛争のなかで、国際連盟を脱退し、一度は国際社会において孤立した日本でしたが、戦後、**「サンフランシスコ平和条約」**を皮切りに、多くの国との国交を回復していきます。国連加盟国のなかで日本が国交を結んでいない国は**北朝鮮のみ**です。

2024年の時点で、世界の**名目GDPランキングで４位、人口ランキングで12位**に位置する日本は、世界**第６位の広さの排他的経済水域**を持つ海洋大国でもあります。そして、その分、いくつかの領土を巡る対立を抱えています。

**択捉島、国後島、色丹島及び歯舞群島**からなる北方四島は、日本が**「北方領土」**と呼んで領有を主張しながらも、1945年以降、ロシアが実効支配を続けている地域です。

## 漁業権と資源をめぐる争い

**竹島**については、1952年、韓国の李承晩大統領が、**「李承晩ライン」**と呼ばれる排他的経済水域の境界線を一方的に画定し、竹島をその内側に入れ、境界線を越えたとされる日本漁船の拿捕（だほ）を続けました。「海上保安白書」（1966年版）は、日本と韓国が国交を回復する1965年までに、**3911人の日本人漁船員が拘束され、うち８人が死亡した**と報告しています。現在も韓国軍の実効支配下にある地域です。

**尖閣諸島**は、当時、どこの国家にも属していないことを確認したうえで明治政府が沖縄県に編入した地域ですが、1968年に周辺の地下資源の存在が確認されると、中国と台湾が領有権を主張し始めました。

この地域を実効支配している日本政府は、**「この地域に領有権に関する問題は存在しない」**という主張を崩していません。

# 東南アジアの国々の政治や文化は多種多様

## イスラーム教徒が多いインドネシア、キリスト教徒が多い東ティモール

### 両国と信教の関係

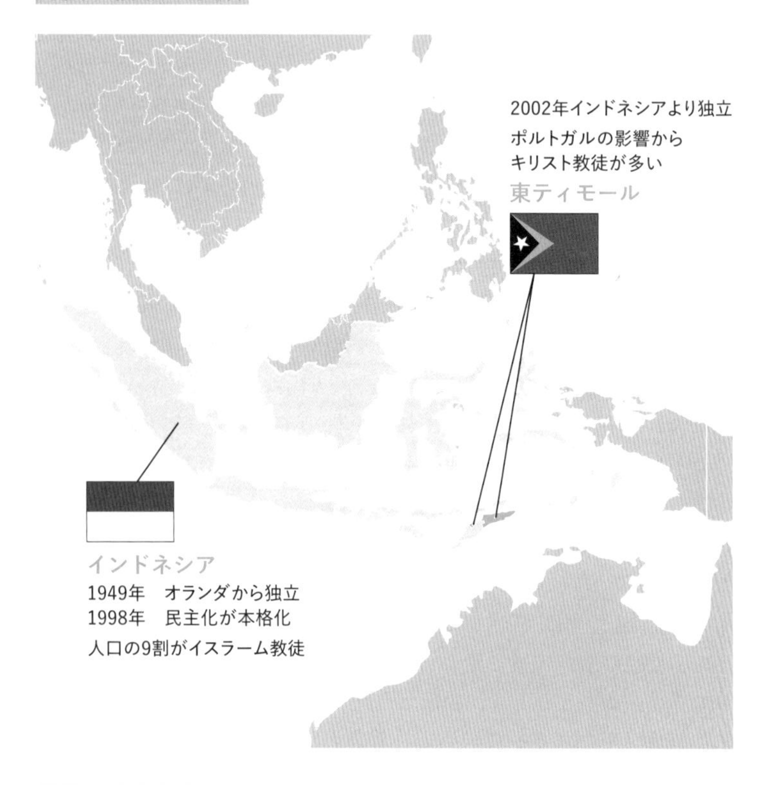

## 地域のほとんどはASEAN加盟国

「東南アジア」と呼ばれる地域は11の国で構成されています。このうち東ティモールを除く10の国々が**「東南アジア諸国連合（ASEAN）」**という地域共同体に属しています。

ASEANは1967年、インドネシア、マレーシア、フィリピン、シンガポール、タイの5ヵ国を原加盟国として発足しました。ベトナム戦争が激化するなか、反共産主義色の強い機構として生まれましたが、やがて社会主義国であるベトナムやラオスを含む5ヵ国が加盟し、**総人口6.6億人を超える巨大な地域機構**となりました。

EUに比べると、加盟国の宗教や政治体制などに関する多様性が強い機構ですが、2015年にはAEC（アセアン経済共同体）も発足し、政治や文化に加え、経済においても連携の強化が図られています。

## 態度を軟化させつつある東ティモール

ASEAN諸国のなかで最大の人口を誇るのはインドネシアです。13世紀頃から交易とともにイスラーム教が広がりました。

17世紀から植民地支配を進めたオランダがキリスト教の布教に積極的ではなかったため、現在でも**人口の9割弱がイスラーム教徒**です。

太平洋戦争中、一時的に日本に占領され、戦後、戻ってきたオランダを相手に独立戦争を戦い、1949年に独立を勝ち取りました。その後、**スカルノ**と**スハルト**という2人の独裁者の時代をへて、1998年から民主化が本格的に進みました。

そのインドネシアから独立したのが**東ティモール**です。

ポルトガルの支配を受けていたこともあって、**キリスト教徒が多い**この地域は、戦後、ここを占領したインドネシアとの衝突を繰り返しながら、最終的に2002年に独立を果たしました。

独立から20年が経過した今、ASEAN加盟を熱望する声は日増しに高まっているようです。

# ベトナム・マレーシア・シンガポール

## いずれの国も資本主義経済を導入後、経済成長を遂げASEANをリード

経済発展著しい3国

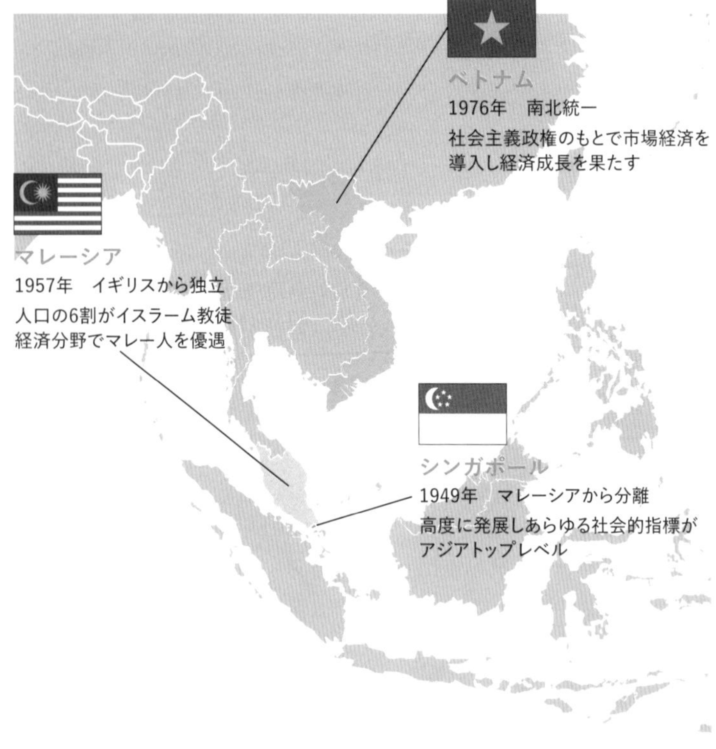

## ベトナム戦争の勝利後の低迷と復活

1976年、ベトナム戦争の果てに「ベトナム社会主義共和国」として南北統一を果たしたベトナムは、その10年後、深刻な経済の停滞を経験します。

これを受けてベトナム政府は、政治の自由化は封印したまま、資本主義経済の導入や外国資本の導入などを軸とする**「ドイモイ（刷新）」**政策を進めました。

その成果として、ベトナムは**年平均６％前後の経済成長**を遂げます。ただ、現在人口ピラミッドが徐々に「つぼ型」に移行しつつあり、今のままでは成長が鈍化するという危機感もあるようです。

## マレーシアから分離したシンガポール

1957年に「マラヤ連邦」としてイギリスの植民地支配から独立したマレーシアは、1981年から約22年間首相を務めたマハティールのもと、欧米ではなく日本や韓国にならった発展を志す**「ルックイースト」**政策を進め、こちらも爆発的な経済発展を遂げました。

マレーシアでは、イスラーム教徒であるマレー人が人口の約６割を占め、雇用や教育など、主に経済分野でマレー人を優遇する**「ブミプトラ政策」**が採られています。「ブミプトラ」はマレー語で**「土地の子、地元の人」**を表す言葉です。

これを不服とした**「華人」**と呼ばれる中華系の人びとの一部が、1965年に分離させられるかたちでできた国がシンガポールです。こちらでも**リー・クアンユー**が20年以上の長きにわたって首相として指導力を発揮しました。

2024年５月、リー・クアンユーの息子であった**リー・シェンロン**氏の後を継ぐかたちで、**ローレンス・ウォン**氏が首相に就任しました。

**外国企業や富裕層の誘致**を進めるため、法人税や所得税が低く設定されているのが特徴で、１人あたりのGNIは**ASEAN諸国のなかで突き抜けて高い**ものとなっています。

# 転機にあるフィリピン 政情が安定しないタイ

## フィリピンではドゥテルテ氏が退陣、クーデターが繰り返されるタイ

### 政治の舵取りが難しい両国

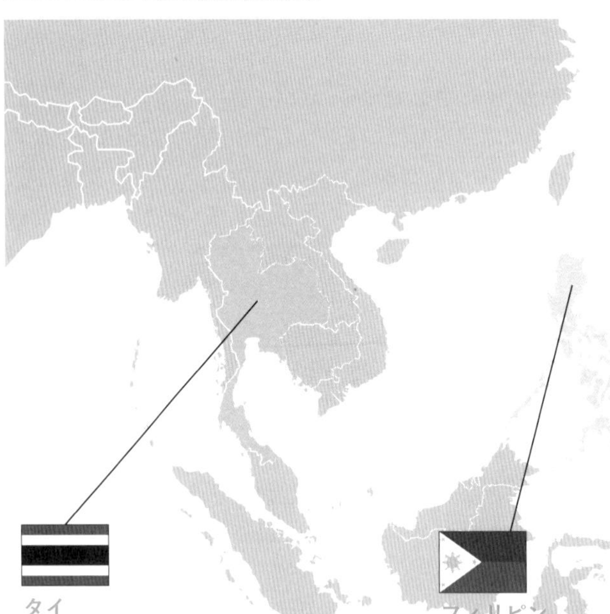

## カリスマの登場と退陣

スペイン、そしてアメリカによる植民地支配から、1946年に独立を果たしたのがフィリピンです。**7000以上の島々からなる島国**で、人口は2014年に1億を超え、今後も増えると予想されています。

フィリピンでは、フェルディナンド・マルコスが1965年から約20年間、独裁を続けました。マルコス政権が革命で倒された後、何人かの大統領をへて、2016年には**ロドリゴ・ドゥテルテ**氏が大統領に就任しました。犯罪、とくに麻薬犯罪に関わる人間を**裁判にかける前に次々と殺害**しながら治安を回復していく彼の政治は、人権蹂躙と非難される一方で、一定数の国民の支持を得ました。

2022年6月に任期満了を迎えたドゥテルテ氏に代わって、フィリピン国民が大統領に選んだのは**ボンボン・マルコス**氏、かつて20年間にわたって独裁を進めたフェルディナンドの息子でした。ちなみにドゥテルテ氏の娘・サラ氏も副大統領に選出されており、彼らがアメリカと中国という大国の狭間でどのような政治を進めていくのか、注目が集まっています。

## 繰り返されるクーデター

ASEAN諸国のなかでも有数のGDPを誇るタイの政治も揺れています。タイでは、国内の政情が不安定になると、**軍がクーデターを起こし、国王がそれを認め、その後、再び民政に移る**というサイクルを繰り返してきました。立憲君主制に移行した1932年以降、**19回ものクーデター**を経験しています。

ごく最近のクーデターは2014年に発生しました。民政に移行した後も、元陸軍司令官である**プラユット**氏が政権を握り続けましたが、2023年5月の下院の総選挙でプラユット政権は退陣を余儀なくされました。

とはいえ新たに誕生したセター政権も、下院の第一党を抜きにした連立政権で、政局が不安定な状況はまだまだ続きそうです。

# ミャンマーが抱える ロヒンギャ難民問題

## 軍による強権的な政治が続くなか、ロヒンギャ難民の数は90万人を超える

### 戦後のミャンマーの政権を巡る対立

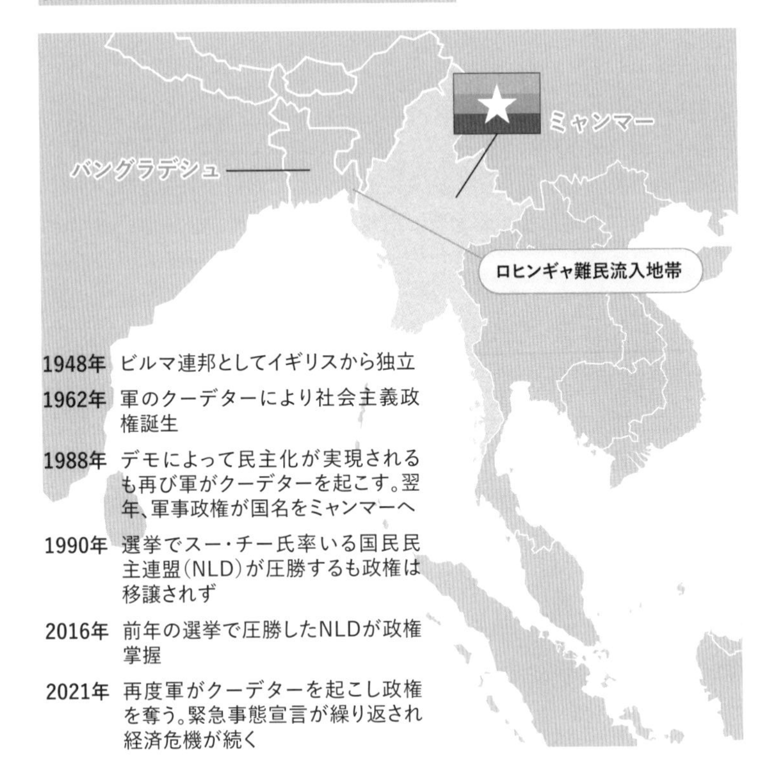

## 支持を集めるがゆえに監禁されるスー・チー氏

現在、軍によるクーデターに揺れているのがミャンマーです。もとは**ビルマ**と呼ばれたミャンマーは、1948年にイギリスによる植民地支配からの独立を果たします。

その後、軍が政治の実権を握りますが、冷戦末期、1988年頃から民主化運動が活発になります。「建国の父」と呼ばれる**アウン・サン**の娘、**アウン・サン・スー・チー**氏を中心とする**「国民民主連盟（NLD）」**が組織され、2015年、ミャンマーは民主化を果たしました。

民主化以降、順調に経済発展を遂げたミャンマーでしたが、2021年2月、選挙の度に圧勝するNLDを疎ましく思った軍が**再びクーデターを起こし**、政治の実権を握りました。

多くの国民の命や権利が危険にさらされ、スー・チー氏も禁固刑に処されるなか、NLDの議員たちは**「国民統一政府（NUG）」**を組織し、国内外の協力を集めつつ、軍に対する抗議運動を続けています。ただ、これに対して国連、とくに安全保障理事会は、立場を明確にして対応できているとはいえない状況です。

## 迫害されるイスラーム教徒・ロヒンギャ

ミャンマーは**ロヒンギャ難民**の問題も抱えています。ロヒンギャとは、国民の9割以上を仏教徒が占めるミャンマーで迫害され、西側、バングラデシュとの国境付近に追いやられているイスラーム教徒の総称です。UNHCRによると、**90万人近い人びと**が難民としてバングラデシュに逃れ、過酷な環境で暮らしているとのことです。

スー・チー氏率いるNLDが政治の実権を握っていた期間もロヒンギャへの弾圧は続いたため、ミャンマー政府やスー・チー氏は国際的な非難にさらされました。

# 人口世界一位の大国 成長を続けるインド

## カースト制度の影響は色濃いものの、内需は大きく成長の余地を残す

### インド周辺の地図とカースト制度

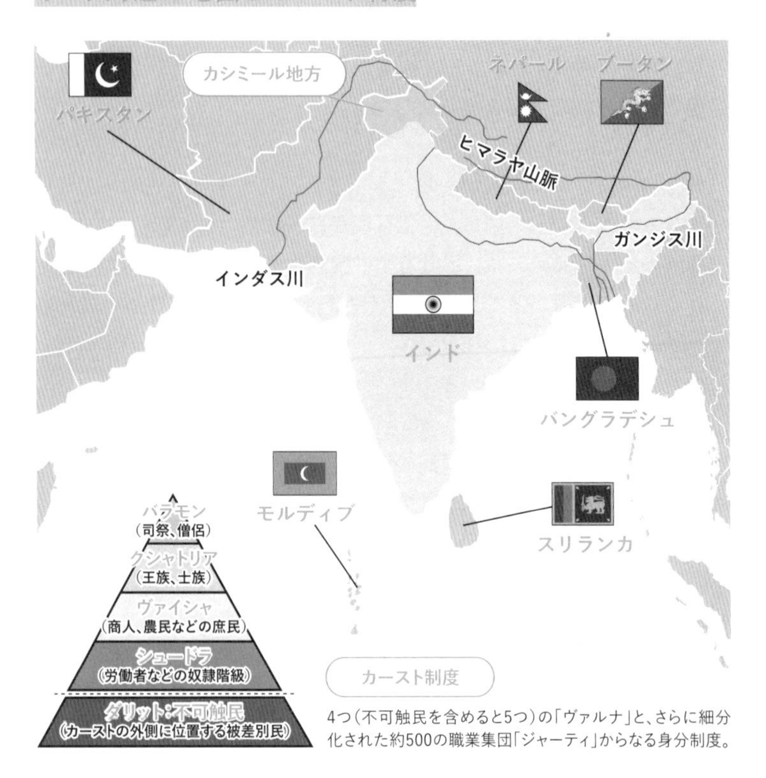

## 混合経済の挫折から経済改革を断行

**世界１位の人口**と**世界７位の面積**を持つ南アジアの大国がインドです。連邦公用語はヒンディー語ですが、憲法に明記されている言語だけでも22、方言に近いものも含めると**600以上の言語が存在する**という話もあるほど、多彩な言語文化を抱えた国です。

2014年から、ヒンドゥー教を重視する**ナヘンドラ・モディ**氏が首相を務め、強力なリーダーシップを発揮していました。しかし、強権的なモディ氏に対する反発も大きいようで、2024年５月の総選挙では与党が**単独過半数割れ**を起こす事態になりました。

1947年にイギリスから独立して以来、インドでは、資本主義と社会主義を組み合わせた**「混合経済」**が進められました。貿易は制限され、基幹産業を担う公企業は国家による保護を受けました。

結果として産業の基盤は形成されたものの、徐々に経済は停滞したため、1991年から抜本的な経済改革に着手。**貿易の自由化**や**規制緩和**などを一気に進め、以降、中国の後を追うように発展を続けました。冷蔵庫やエアコンなどの普及率はいまだ５割に達しておらず、今後の**内需の拡大**が見込めるため、経済成長はまだまだ続きそうです。

## インドでICT産業が好調のワケ

インド経済の発展を支えているのはICT（情報通信技術）産業や自動車などの製造業です。ICT産業が発達した理由としては、**アメリカと約半日の時差**があり、アメリカ企業の仕事をアメリカが夜の間に引き継ぎやすいことや、伝統的な身分制度である**カースト制度の影響を受けにくい**ことなどが挙げられます。

もちろん、急速な工業化の裏で拡大する**大気汚染**など、解決すべき問題も多々存在します。ヒンドゥー教にはトイレを不浄なものとして家から遠ざける習慣があるため、トイレの普及による**公衆衛生の改善**も政権にとっては大きな課題のようです。

# 植民地時代に遡る対立 インドとパキスタン

## ヒンドゥー教とイスラーム教の対立が終わりの見えない国境紛争に発展

### インド周辺の紛争史

|  |  |
|---|---|
| 1947年8月 | インド連邦とパキスタンが分離独立。約200年続いたイギリスによる植民地支配が終わる |
| 1947年10月 | 第一次インド・パキスタン戦争(印パ戦争)勃発。カシミール地方は両国によって分割統治されることとなった |
| 1948年 | ガンジー、ヒンドゥー教徒の活動家に暗殺される |
| 1962年 | 中印国境紛争 |
| 1965年 | 第二次印パ戦争。カシミール地方を巡る衝突 |
| 1971年 | 第三次印パ戦争。東パキスタンは「バングラデシュ」として独立 |
| 1974年 | インド、初の核実験を実施 |
| 1998年 | 同年、再度核実験を実施したインドに対抗し、パキスタンも核実験を実施 |

## それぞれがイギリスから独立

インドを中心とする南アジアは、言語や民族だけでなく、宗教面でも多様性を抱えた地域です。そのなかでも多数派を占めるヒンドゥー教徒とイスラーム教徒は、19世紀中頃まで続いたムガル帝国の下では**比較的平穏に共存していた**と言われています。

しかし、その後この地域を支配下に置いたイギリスは、民衆がひとつにまとまって植民地支配に反抗するのを防ぐため、ヒンドゥー教徒とイスラーム教徒の対立を利用する「**分割統治**」を進めました。

その結果、1947年、この地域は**ヒンドゥー教徒が多いインド**と**イスラーム教徒が多いパキスタン**に分かれて独立しました。これに伴い多くの人びとが移住を余儀なくされ、その移動に伴う衝突のなかで数十万規模の人が命を落としたと伝えられています。

## 対立を深めるが外交努力も続く

両国の間に位置する**カシミール地方**については、その領有を巡って何度か軍事衝突が発生しています。この地域は**中国も領有を主張**しており、1962年にはインドと中国の間でも紛争が起きました。

1971年、パキスタンの一部が現在のバングラデシュとして独立する際にも、独立を阻止したいパキスタンと、独立を支援するインドは衝突しています。

現在、**中国との結びつきを強化するパキスタン**に対し、**インドはQUAD**（p.113）**を通じてアメリカ・日本・オーストラリアとの関係を強化**しています。

核保有国でもある両国の対立は世界的なリスクですが、両国が「**上海協力機構**」という枠組みのなかで中国やロシアとの関係を構築しようとしているあたりに、決定的な対立を避けながら国益を追求しようとする**両国の外交努力**も透けて見えます。

# 多様性を増しつつあるオーストラリア

## 非白人入植者を制限する「白豪主義」から「多文化主義」への転換を進める

オセアニアの国々

## イギリスから自治を認められ独立

オーストラリア大陸には、約5万年前から**アボリジニ**と呼ばれる先住民が生活を営んでいましたが、18世紀後半から、イギリスが「流刑地」として積極的に囚人を送り込み始めました。

19世紀に入って金鉱が発見されると、イギリス以外のヨーロッパの国々やインド、中国などからの移民が急増します。これを受けて、1901年、イギリスから自治を認められるかたちで独立したオーストラリア連邦は**「移民制限法」**を制定。アジア系移民の排除を進めました。**「白豪主義」**とも呼ばれるこの政策は、第二次世界大戦後もしばらく続きました。

1972年、それまでの保守党に変わって政権を手にした労働党のウイットラム首相は、「白豪主義」を批判し、移民の審査システムを大きく変え、「多文化主義」への転換を実現させました。これによってオーストラリアでは、白人以外の移民が増えていきます。

2021年の国勢調査では、総人口2550万人のうち、海外生まれ、もしくは両親のどちらかが海外生まれの人が、**半数を上回る51.5%**を占めました。近年ではインドやパキスタン、イラクからの移民が増えており、**文化的な多様さは年々拡大している**ようです。

## 国家の歌詞もアップデート

先住民アボリジニへの差別的、抑圧的な政策も徐々に改善され、1999年には政府が**過去の政策について謝罪する**に至りました。

この流れを受け、2021年には国歌の歌詞も変更されました。「For we are young and free,」の**「young」**という部分が、白人によって建国された「若い」国家を示すということで、「For we are one and free」とされたのです。国家として「多文化主義」を大切にし続けようという姿勢を内外に示すエピソードとなりました。

# 太平洋の安全保障に関わる数々の枠組み

## オーストラリアやニュージーランドは英米とともに中国の太平洋進出を警戒

### オーストラリアが参加する枠組み

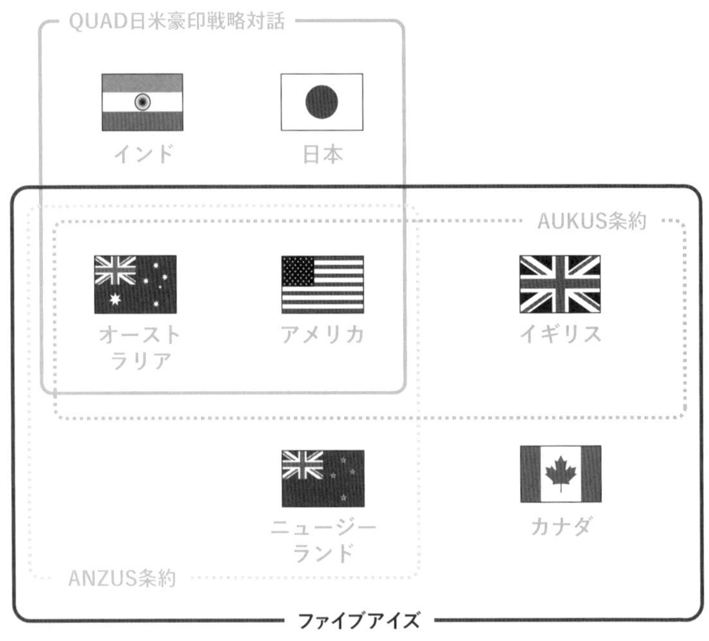


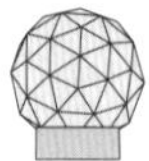

5ヵ国は「エシュロン」と呼ばれる通信傍受網で国際的に情報を収集、分析し共有しているとされる

## 中国と軍事協定を結ぶ国も出現

中国の存在感は、パプアニューギニアやフィジー、トンガといった**太平洋の島嶼(とうしょ)国**の間でも増しつつあります。

対中貿易や中国によるインフラ投資の拡大にとどまらず、ソロモン諸島のように**安全保障面での協定を中国との間に結ぶ国**も出てきており、アメリカはもちろん、この地域の盟主であるオーストラリアが強く警戒する事態となっているようです。

## ファイブアイズの一員でもある

オセアニア地域に関わる国際的な枠組みのひとつに、**「QUAD（クアッド）」**と呼ばれるアメリカ、オーストラリア、日本、インドの4ヵ国間対話があります。中国政府はこの枠組みへの警戒を隠しません。とはいえインドは独自路線を歩む傾向の強い国です。

それもあってか、2021年にはアメリカ、イギリス、オーストラリアの3国が、**「AUKUS（オーカス）」**と呼ばれる3ヵ国の安全保障パートナーシップの創設を発表しました。これに基づき、米英はオーストラリアの原子力潜水艦の運用を急ぎ実現するとしています。

この3ヵ国は、ニュージーランド、カナダとともに、1948年に成立したとされる秘密協定「UKUSA」の参加国でもあります。アメリカと英連邦に属する国々からなるこの5ヵ国は、**「ファイブアイズ」**とも呼ばれ、アメリカが中心となって構築した通信傍受システム・**エシュロン**を軸に、諜報面での協力体制を敷いているようです。

豪中関係は悪化していますが、オーストラリアの**最大の貿易相手国は中国**であり、中国にとってもオーストラリア産の鉄鉱石や石炭は重要な資源です。南太平洋を舞台にした経済面で密接に結びつく大国間のにらみ合いは、まだまだ続きそうです。

COLUMN

## 「アジアで深刻化する大気汚染」

日本の公害苦情受理件数は、2014年頃から、長い間1位であった大気汚染に代わって騒音が1位になりました。日本では改善傾向にある大気汚染ですが、世界ではいまだ深刻な問題であり続けています。

米国を拠点とする健康影響研究所が2024年に発表した報告書「世界の大気の状態」によると、現在、大気汚染は世界の死亡リスク要因の第2位（1位は高血圧）になっているようです。

数ある大気汚染物質のなかでも、とくに多くの人の命を奪っているのは「PM2.5」と呼ばれる直径2.5マイクロメートル（0.0025mm）以下の微小粒子状物質です。PM2.5は、主に化石燃料やバイオマスの燃焼、森林火災などから発生し、心疾患や肺炎などの原因となります。

シカゴ大学が2023年に発表したレポートによると、大気汚染による健康被害の約4分の3がバングラデシュ、インド、パキスタン、中国、ナイジェリア、インドネシアの6ヵ国に集中しているとのことです。

首都北京の空が暗くなるまでになった中国の大気汚染は、2022年の北京オリンピックに向けた国家的な取り組みや、新型コロナによる経済活動の低下によって一定の改善を見たようですが、それでも予断を許さない状況が続いています。

他の環境問題と同様に、大気汚染についても、先進国に代わって工業生産を請け負うようになった途上国で深刻化している現状があります。バングラデシュでは、れんが工場が排出する煙が大気汚染の原因の大きな部分を占めていますが、2024年5月の朝日新聞の報道によると、日本企業が開発した「焼かないれんが」の導入が部分的に始まっているとのことでした。技術革新による改善が期待されます。

# おわりに

最後まで読んでくださった皆様、本当にありがとうございました。

「欧州の天地は複雑怪奇なる新情勢を生じた」とは、第二次世界大戦が勃発する直前の1939年８月に平沼騏一郎首相が残した、有名なフレーズです。
当時、日本はソ連に対抗するためにナチス・ドイツとの関係を強化しようとしていましたが、その矢先に「水と油」であったはずのソ連とドイツが、互いの利害を一致させて「独ソ不可侵条約」を結んでしまいました。これに対して、適切な対応策を打ち出せなかった平沼内閣は、上の言葉を残して総辞職しました。

現在では、国際連盟を一方的に脱退し、国際的に孤立した当時の日本政府の情報収集・分析能力の低さを表すものとして語られることが多いエピソードですが、本書の執筆にあたり、この言葉は頻繁に私の脳裏をよぎっていました。

本書の執筆は「書いたそばから古くなっていく」恐怖との戦いでした。執筆の開始は2022年に入った頃からでしたが、すぐにロシアがウクライナに侵攻しました。イギリスではエリザベス女王が96年の生涯を終え、中国では習近平国家主席が３期目に突入、イタリアでは初の女性首相が誕生しました。フランスでは2024年の欧州議会選挙で右派が勝利し、ルペン氏の存在感がいよいよ大きくなってきています。

国連ではグテレス事務総長が「地球沸騰の時代の到来」を告げました。トルコ・シリアの地震やハワイの山火事は多くの被災者を生み、イスラエルとパレスチナの衝突は今も多くの人の命を奪っています。

OpenAI社のChatGPTに代表される生成AIは、世界中の人びとにとって身近なものとなり、生成AIをハード面で支えるNVIDIA社の株価は高騰しました。イーロン・マスク氏が率いるSpaceX社は、かつてない勢いで人工衛星を打ち上げています。

ここに書いたことも、すぐに古くなっていくのでしょう。

加えて、この本に記せたことは、それぞれの事象のほんのわずかな側面に過ぎません。UNHCRは、2023年の1年だけでも1億1730万人もの人が、紛争や迫害などにより故郷を追われたと報告していますが、当然、その数値の裏には1億1730万通りの悲しみや怒りや悔しさがへばりついているわけで、そこに細かく言及することはとてもできませんでした。

しかし、いつだって時代を大きく動かすのは、そうした名もない人びとの大きな感情のうねりです。「アラブの春」も「Black Lives Matter」も、世界各地で見られる右派と左派の分断も、すべては人びとの積もり積もった感情が形を伴って現れた結果のように思えます。

世界を動かすのは感情かもしれませんが、とはいえ感情に流されることが世界を幸せに導くかといえば、そういうわけでもありません。

内容自体はすぐに古くなるかもしれない本書ですが、私たち1人ひとりが、目の前に流れてくる報道を冷静に受けとめ、思考をめぐらすための一助となれましたら、書いた甲斐があったかと思います。

最後に、本書を手にとってくださったすべての方と、すばる舎編集部の水沼様、吉本様はじめ、本書の制作に関わってくださったすべての方に心からのお礼を申し上げて、終わりの言葉といたします。

ありがとうございました。

2024年6月

馬屋原吉博

〈参考文献〉

『データブック オブ・ザ・ワールド 2024年版』二宮書店編集部（二宮書店）
『国際政治学』中西寛、石田淳、田所昌幸（有斐閣）
『国際連合の基礎知識［第42版］』国際連合広報局、八森充訳（関西学院大学出版界）
『図説 世界の地域問題100』漆原和子、藤塚吉浩、松山洋、大西宏治（ナカニシヤ出版）
『The World［ザ・ワールド］世界のしくみ』リチャード・ハース、上原裕美子訳（日本経済新聞出版）
『シリーズ地域研究のすすめ②ようこそアフリカ世界へ』遠藤貢、阪本拓人編（昭和堂）
『地図で見るラテンアメリカハンドブック』オリヴィエ・ダベーヌ、フレデリック・ルオー、太田佐絵子訳（原書房）
『「国際関係」の基本がイチからわかる本』坂東太郎（日本実業出版社）
『池上彰の世界の見方（シリーズ）』池上彰（小学館）
『感染症大全』堤寛（飛鳥新社）
『激変する世界の変化を読み解く　教養としての地理』山岡信幸（PHP）
『「モディ化」するインド－大国幻想が生み出した権威主義』湊一樹（中央公論新社）
『世界96ヵ国で学んだ元外交官が教えるビジネスエリートの必須共用「世界の民族」超入門』山中俊之（ダイヤモンド社）
『GAFA×BATH 米中メガテックの競争戦略』田中道昭（日本経済新聞社）

〈著者紹介〉
**馬屋原吉博**（うまやはら・よしひろ）

◇―中学受験専門のプロ個別指導教室SS-1社会科講師。中学受験情報局「かしこい塾の使い方」主任相談員。
大手予備校・進学塾で、大学・高校・中学受験の指導経験を積み、現在は完全1対1・常時保護者の見学可、という環境で中学受験指導に専念している。開成、灘、桜蔭、筑駒といった難関中学に、数多くの生徒を送り出す。

◇―必死に覚えた膨大な知識で混乱している生徒の頭の中を整理し、テストで使える状態にする指導が好評。バラバラだった知識同士がつながりを持ち始め、みるみる立体的になっていく授業は、生徒はもちろん、保護者も楽しめると絶大な支持を得ている。

◇―著書に『今さら聞けない！政治のキホンが2時間で全部頭に入る』『今さら聞けない！世界史のキホンが2時間で全部頭に入る』（すばる舎）、『頭がよくなる 謎解き 社会ドリル』（かんき出版）、『中学受験 見るだけでわかる社会のツボ』（青春出版社）、『カリスマ先生が教える おもしろくてとんでもなくわかりやすい日本史』（アスコム）などがある。

◎うまちゃん先生のオンライン個別指導
https://www.haru-mina.com/

今さら聞けない！ **国際社会のキホンが2時間で全部頭に入る**

2024年7月29日　第1刷発行

著　者――馬屋原吉博

発行者――徳留慶太郎

発行所――株式会社すばる舎

東京都豊島区東池袋3-9-7 東池袋織本ビル　〒170-0013
TEL　03-3981-8651（代表）　03-3981-0767（営業部）
https://www.subarusya.jp/

印　刷――ベクトル印刷株式会社

落丁・乱丁本はお取り替えいたします

ISBN978-4-7991-1199-4